Weg met de jongens!

Van dezelfde auteur
Time-out (met Dolf Verroen)

www.hanneke-de-jong.nl
www.leopold.nl

Hanneke de Jong

Weg met de jongens!

LEOPOLD / AMSTERDAM

Eerste druk 2011
Copyright © tekst Hanneke de Jong 2011
Omslagbeeld: Arcangel, Hollandse Hoogte, fotograaf: Marc Owen
Omslagontwerp: Nanja Toebak
Uitgeverij Leopold bv, Amsterdam
ISBN 978 90 258 5776 9 / NUR 283

Inhoud

's Morgens vroeg

Vandaag wordt een dag zonder ruzie. Dat hebben ze me allemaal beloofd.

Allemaal zijn mama, Jelle (haar vriend) en Simon en Wytse, de zonen van Jelle. Arnout en Marcel, mijn half-broertjes van een jaar, ruziën niet. En als ze het al doen, is het grappig.

Ik kan er niet meer tegen. Als mensen bekvechten, moet ik denken aan al die keren dat mama en papa ruzie-maakten. Dat was vaak. Over vrijheid, zei papa. Over ver-antwoordelijkheid of juist niet, zei mama. Over geld, dat vonden ze allebei. Over mij, ook allebei. Nou ja, ze waren het zelden eens. Met steeds hardere stemmen, stampende voeten en slaande deuren. Papa heeft zelfs een keer borden stukgesmeten. Toen mama hetzelfde wilde doen met zijn gitaar werd papa woest, want zijn gitaar is heilig. Ik stond erbij, het was in de keuken, en ik heb gegild en gekrijst tot ze ophielden. Die avond is papa vertrokken.

Mama zegt iedere keer dat het mijn schuld niet is en papa zegt hetzelfde. Daarover zijn ze het in ieder geval eens en dus zal dat wel zo zijn.

Papa hoefde geen flat of zo te zoeken, hij was toch vaak onderweg. Hij zette zijn spullen in de kamer achter de stu-dio – had ik al verteld dat papa een band heeft? Ze heten Jan en de Jannen en maken keiharde muziek. Maar goed, sinds hij is vertrokken, woont hij achter de studio. Af en toe haalt hij me op voor een gezellig dagje uit. Meestal neemt hij me mee om ergens een patatje te eten en gaan we daarna naar de studio. Dan laat hij me zijn nieuwste liedjes horen.

Ik mis papa thuis. Hij maakte vaak liedjes met gekke teksten of rare geluiden en dan hadden we lol. Dat is nu anders.

Na een poosje werd mama verliefd op Jelle. Jelle was net een jaar weduwnaar. Dat is een mannelijke weduwe. Zijn vrouw had een vreselijk auto-ongeluk gehad. Ze was direct dood. Dan ben ik toch beter af dan Simon en Wytse, want ik heb tenminste nog een vader en een moeder, al wonen ze niet meer bij elkaar. Al zijn die jongens enorme klieren!

Toen mama in verwachting raakte van de tweeling zijn de mannen – zoals mama ze altijd noemt – bij ons in huis getrokken. Bij ons was ruimte genoeg. De studio die papa thuis had, werd de kamer van de grote jongens en de tweeling kwam in mijn kamer. Ik kreeg wat vroeger een rommelkamertje was. Groot is het niet, maar ik mocht het inrichten zoals ik wilde. Mama en Jelle hebben alles, in opdracht van mij, lila en paars geverfd.

Op de gang hoor ik de fluisterende stemmen van de jongens, die van Simon zwaar, al schiet hij af en toe nog uit, en die van Wytse lichter. Ze ruziëen zachtjes. Dan hoor ik Simon: 'Hou je bek, man, we zouden geen ruziemaken.'

Ik lig te gniffelen in bed. Ze doen echt hun best! De deur van de kamer van mama en Jelle gaat open en ik hoor nog meer gefluister. Ik ga diep onder mijn dekbed liggen en probeer niets te horen. Is het kinderachtig om te liggen rillen van spanning?

Na een poosje heen en weer geren, en nog meer zacht praten en bekvechten, zwaait de deur open. Simon en Wytse komen als eersten binnen, dan mama en Jelle, allebei met een kind op de arm. Luid beginnen ze te zingen: 'Er is er een jarig, hoera, hoera!'

Ik ga rechtop tegen mijn kussen zitten. Vandaag is het mijn elfde verjaardag.

Jarig

School is een ramp, vandaag kan ik niet stilzitten. Ik heb zo'n zin in na schooltijd!

Bibi, mijn beste vriendin, mag met me mee naar huis en blijft vanavond eten. Pake en beppe, de vader en moeder van mama uit Friesland, komen in ieder geval. Opa en oma, de ouders van papa, komen misschien; Hans en Jacqueline, de ouders van Jelle, waarschijnlijk ook. En verder is het afwachten. Papa heeft vanochtend nog niet gebeld, maar hij is altijd laat.

Ik wiebel op mijn stoel, nog vijf minuten! Aan de andere kant van het lokaal lacht Bibi naar me. We mogen niet meer samen in hetzelfde groepje zitten omdat we kwebbelen, zegt de meester. Als jongens precies hetzelfde doen, heet het ineens keten. Raar.

Yesss, de bel gaat. Bibi en ik stormen naar de deur.

'Afke, wacht eens even!' De meester staat met zijn armen over elkaar en kijkt streng. 'Ben jij niet iets vergeten?'

Ik kijk om me heen. De andere kinderen lachen. Dan wijst Bibi op mijn rugzak die nog naast mijn tafel staat en waarin de lege schaal voor de traktatie is verpakt. De meester geeft me een vette knipoog. 'Veel plezier vandaag, Afke.'

'Dat komt wel goed, meester.'

We huppelen, dansen en rennen over de stoep, steken de zebra over en komen zo in de wirwar van oude straatjes. Ons huis staat aan een hofje.

'Pake en beppe zijn er al, leuk!'

Door het poortje lopen we achterom en komen we in

onze tuin. Door de tuindeuren kan ik zien dat er al veel mensen zijn. Lachend stoot ik Bibi aan en zij lacht breed terug.

Ik word vreselijk verwend met heel veel cadeaus. Dat is een voordeel als je ouders gescheiden zijn, je hebt ineens twee keer zoveel familie. Het meest blij ben ik met de mp3-speler van mama en Jelle. Je kunt radio luisteren, er muziek op zetten, luisterboeken en nog veel meer. Jelle zal me helpen om uit te vinden hoe alles werkt.

Na het avondeten, als Bibi naar huis is gegaan en de rest van de visite ook, hang ik nog wat rond in de woonkamer. De tweeling is naar bed, Simon maakt zijn huiswerk en Wytse doet een spelletje op de computer.

Waarom is papa niet gekomen?

'Laat mij er nou even bij,' zeg ik tegen Wytse. 'Ik wil alleen maar weten of ik mail heb.'

'Dat wilde je een kwartier geleden ook en toen was er niks.'

Ik ga half naast Wytse op zijn stoel zitten en probeer hem eraf te duwen. 'Toe nou, ik ben zo klaar.' Hij duwt zijn elleboog in mijn zij en ik tuimel er weer af. 'Ha, jij kunt ook niks hebben!'

Ik probeer het langs de andere kant en wil de muis afpakken, maar dat lukt ook niet. Wytse is veel groter en sterker dan ik. Als ik hem in zijn zij probeer te porren, moet hij lachen. 'Hou op, je kietelt me!'

'We zouden geen ruziemaken!'

'Je vergist je, Simon en ik zouden geen ruziemaken. Bovendien is dit helemaal geen ruzie.'

Ik stampvoet: 'Maar ik wil...'

De telefoon rinkelt. In twee tellen ben ik erbij. 'Met Afke!'

Wie het ook is, ze kunnen vast aan de andere kant al horen dat ik jarig ben, zo blij klinkt mijn stem. Het is

Ineke, mijn tante, de zus van mijn moeder. We kletsen wat en ik leg de telefoon neer.

Mama komt binnen. 'Wie was dat?'

'Ineke. De groeten en gefeliciteerd.'

'Dank je.' Mama gaat terug naar de keuken.

Weer de telefoon. 'Met Afke!'

Tante Gerda, de zus van pake. Ik heb moeite om netjes te blijven. Ze doet er lang over om me te feliciteren en ze wil weten wat ik heb gekregen. Al die tijd is de telefoon bezet!

Mama steekt haar hoofd weer om de deur. 'Wie was dat?'

'Tante Gerda.'

'O.' Ze kijkt naar mij. Snel pak ik een cadeautje van de stapel en doe alsof ik het aandachtig bekijk.

'Zullen we nog een kopje thee drinken met taart erbij? Het moet toch op, hè?'

'Lekker.'

'Jij ook, Wytse?'

'Graag!' Simon en Wytse hebben woord gehouden, ze hebben de hele dag geen ruziegemaakt. Als hun stemmen luider werden, hoefde Jelle alleen maar streng te kijken.

Even later zitten we als een voorbeeldige familie om de tafel. Iedereen met koffie of thee en een stuk taart voor de neus. Mama knuffelt me. 'Fijne dag gehad?'

Ik knik en probeer naar haar te lachen, maar plotseling schieten de tranen erdoorheen. Ik zet mijn tanden hard in mijn onderlip. 'Ach schat toch. Zal ik hem bellen?'

'Nee mam, dat hoeft niet. De rest van de dag was geweldig. Echt waar.' Ik hoor zelf hoe onecht het klinkt. Dat vind ik lullig, want niemand hier kan er iets aan doen dat papa vandaag niets van zich heeft laten horen.

Zodra ik mijn stuk taart op heb, ren ik naar boven. Ik kan de jongens wel schieten als ze ruziemaken, maar het is nog erger als ze medelijdend naar me kijken.

Bibi

Pas na een paar dagen ren ik niet meer iedere keer naar de gang als ik hoor dat er iets in de brievenbus valt. Bibi vindt het rot voor me.

'Hij laat je barsten,' zegt ze als we het erover hebben. 'Als hij ooit het lef heeft om toch nog te komen, laat je hem ook maar barsten.'

Daar moet ik over nadenken. Zou ik dat doen? Ik ben immers veel te blij als hij komt.

Bibi is genadeloos. 'Hij doet net of je een hond bent. De ene keer krijg je een bot, de andere keer een trap.'

De tranen spatten in mijn ogen. 'Je hebt het wel over mijn vader, hoor!' bijt ik van me af.

'Kom op,' zegt Bibi in een poging om me op te vrolijken, 'we gaan naar de zolder.' Op hun zolder staan koffers vol kleren en schoenen en doosjes met opmaakspullen. Dat is allemaal voor haar, want Bibi heeft zes broers en die doen er niets mee. Terwijl wij er hele toneelstukken bij bedenken.

'Ja leuk,' roep ik. Ik kan heel goed vrolijk doen. We rennen de trappen op en maken de grootste koffer open.

Dit zijn onze schatten: een zwart kokerrokje, leggings in alle kleuren, glittertopjes en T-shirts, een strakke, lange jurk, een strapless jurk en nog veel meer. Allemaal spullen van nichtjes van Bibi. Ik kies een kort rood plooirokje met een zwart glittertopje en een gestreepte legging eronder. Het is allemaal wat te groot maar ik hijs het op zodat het lijkt alsof het past. Bibi heeft de strapless jurk aangetrokken.

'Schoenen!' jubelen we en we storten ons op de volgende koffer. Na veel gepas heeft Bibi glimmende, zilveren stiletto's aan en ik zwarte laarsjes met enorme hakken. 'Dit is de catwalk,' zegt Bibi en dan roept ze: 'Ladies and gentlemen, here comes Doutzen Kroes!' Ik doe zo mijn best om als model te lopen dat ik bij de eerste stap wankel en bij de tweede omval. Bibi probeert me te stoppen maar ik sleur haar mee. We gillen van de lach. 'Hoe kan iemand hier ooit op lopen?' vraag ik me af.

Na het eten gaat de bel. Mama is in de keuken bezig en Jelle brengt de kleintjes naar bed. Ik doe de deur open en zie papa staan, een pakje met een feestelijke strik in zijn hand. Mijn gezicht trekt strak.

'Ah Afke, daar ben je. Mijn grote meid. Gefeliciteerd. Mag ik binnenkomen?'

Voordat hij een voet over de drempel kan zetten, zeg ik: 'Nee,' en ik sla de deur dicht. Prompt belt papa weer. Ik schreeuw: 'Je bent te laat, pap!' Ik ren naar boven, naar mijn kamer. Daar hoor ik hoe mama naar de deur loopt omdat papa blijft bellen. Ze praten zachtjes met elkaar, al kan ik mama horen sissen. Die is kwaad!

Dan komt ze naar boven en ze gaat op de rand van mijn bed zitten. Ik sla mijn armen om haar heen en probeer niet te huilen.

'Ach schat,' zegt mama en ze aait over mijn hoofd.

'Wat heb je gezegd?' vraag ik. Er ontsnapt me toch een snik waar ik overheen probeer te kuchen.

'Dat-ie op het dak kon zitten met zijn cadeau erbij.'

Ik gniffel. 'Goed zo, mam.'

Twee dagen later brengt de post een pakje van papa met een briefje erbij. Er zit een mobieltje in met een abonnement. 'Dan kun je me altijd bereiken,' schrijft hij.

Lekker makkelijk, denk ik en ik gooi het in de prullenmand. Om het er even later weer uit te vissen. Ik kan er tenslotte ook anderen mee bellen. Bibi bijvoorbeeld.

Papa heeft de mobiel gebruiksklaar gemaakt en dus probeer ik hem meteen uit. Bibi's moeder neemt op.

'Ha Mamilou,' zeg ik, 'is Bibi thuis?'

'Ja hoor, ik zal haar even roepen. Jullie zullen na een lange schooldag wel veel te bespreken hebben.'

Ik grinnik. Met Bibi's moeder, ze heet Milou maar ik noem haar Mamilou, kun je lachen, maar ook goed praten.

'Hé Afke,' hoor ik Bibi. 'Je hebt een ander nummer. Hoe kan dat?'

'Ik heb een mobiel!' gil ik. 'Heeft papa me gestuurd. Ik wilde hem even uitproberen en hij koos automatisch jouw nummer. Hoe zou dat nou komen?'

Familieberaad

Onder het eten vraagt mama: 'Komen jullie beneden als de kleintjes naar bed zijn? We moeten iets bespreken.'

'Wat?' wil Wytse weten.

'Jullie gaan toch niet trouwen?' Simons gezicht staat op storm.

'Straks,' zegt Jelle, 'dat horen jullie wel tijdens het familieberaad.'

Als de laatste hap door de keel is, schieten Simon en Wytse samen naar hun kamer. Soms ben ik jaloers op ze. Ze spelen samen, voetballen, gamen, ruziën en hebben steun aan elkaar. Dan zou ik willen dat ik een zus had.

Ik hang wat op de bank en hoop stiekem af te luisteren wat mama en Jelle met elkaar bespreken. Omdat het alleen over de tweeling gaat en de afwas en andere oninteressante dingen, ga ik naar mijn kamer. Ik moet mijn mobiel ook gebruiken tenslotte.

'Moet je horen,' zeg ik. 'We hebben straks familieberaad.'

'O jee,' zegt Bibi, 'dan moeten er serieuze zaken worden besproken.'

'Hebben jullie dat ook wel eens?'

'Natuurlijk. Hoe kunnen we anders dingen afspreken? Er is altijd wel een van de jongens die moet werken of sporten.'

Gerustgesteld stop ik even later het gesprek. In een groot gezin is familieberaad doodnormaal.

We zitten opnieuw om de eettafel. Simon en Wytse kijken alsof er een ramp staat te gebeuren, mama en Jelle juist blij.

'Zeg het nou maar,' bromt Simon, 'dan hebben we dat vast gehad.'

'We willen het met jullie over de vakantie hebben,' begint Jelle.

'Da's makkelijk,' zeg ik, 'we gaan toch net als ieder jaar naar Gaasterland?'

Zolang ik leef zijn we iedere zomervakantie naar pake en beppe in Gaasterland geweest. Het ligt in Friesland, met aan de ene kant het IJsselmeer en aan de andere kant bossen. Ik vind het er heerlijk en mama ook, want pake en beppe kunnen het nooit laten mama en mij te verwennen.

We hebben er ons eigen huisje dat pake en papa samen hebben gemaakt van een uitgebouwde garage. Al sliepen de jongens vorig jaar in het huis van pake en beppe omdat het huisje te klein was voor ons allemaal.

'Dat was zo,' zegt mama, 'maar dat wil niet zeggen dat het altijd zo blijft.'

Mijn mond valt open van verbazing. 'Wat dan?' Ik kan mezelf wel slaan als ik hoor hoe huilerig mijn stem klinkt.

'Dat is precies wat we hier willen bespreken. Wat hadden jullie in gedachten?' Mama kijkt naar Simon en Wytse, die elkaar op hun beurt verbaasd aankijken. 'Wat tof, niet naar Gaasterland,' zegt Simon.

Ik slik om niet te huilen. Ben ik de enige die graag naar pake en beppe gaat?

'Mogen we ook met het vliegtuig?' informeert Wytse.

'Nee, we moeten er met de auto kunnen komen. Ik mag een busje lenen van mijn baas.' Jelle lijkt ook blij te zijn dat we ergens anders naartoe gaan.

'Spanje,' zegt Simon. 'Lekker warm.'

'Italië. Kunnen we tegen de maffia vechten.' Wytse doet alsof hij een geweer in zijn handen heeft. 'Ratatatatatatah! En het is er altijd mooi weer.'

'Wat vinden jullie van Frankrijk?' Mama verraadt me

ook al. 'Dat is niet zo ver als Spanje en Italië. We moeten rekening houden met de kleintjes. In Frankrijk schijnt de zon ook vaak.'

'Als we maar kunnen zwemmen en vissen,' vindt Simon.

'En kanovaren. Over een woeste rivier!' vult Wytse aan.

'Afke? Wat vind jij? Ik heb je nog helemaal niet gehoord.' Iedereen kijkt prompt naar mij.

'O. Ik wist niet dat ik meetelde.' Mijn stem klinkt als een krassende kraai. 'Ik wil naar pake en beppe. Net als altijd. Jullie doen maar, ik ga niet mee!'

Kwaad schuif ik mijn stoel achteruit en ren naar boven. De deur smijt ik achter me dicht. Zes tegen een: naar Frankrijk. Net als de rest van de klas. Niet meer naar Gaasterland. Waarom moet alles anders worden?

Tekenen

Al snel komt mama naar boven. Ze gaat op de rand van mijn bed zitten. Ik heb mijn pyjama aangedaan en ben diep onder het dekbed weggekropen. Nu met mama praten, daar heb ik totaal geen zin in. Maar al doe ik mijn ogen dicht, ze blijft gewoon zitten.

'Ik weet wel dat je niet slaapt,' zegt ze. 'Ik zie het aan je wimpers. Ze fladderen. Net vlinders die niet stil kunnen blijven zitten. Dus doe ze open en praat.'

'Wat maakt het uit wat ik zeg? Jullie zijn het toch allemaal eens.' Tegen mijn zin begint mijn mond te praten. Dan kan ik net zo goed mijn ogen opendoen.

'Ik zou het prettig vinden als jij ook blij zou zijn dat we ergens anders naartoe gaan. Zodat we samen een nieuw gezinsleven kunnen opbouwen.'

'Het oude vond ik goed genoeg. Nu wil ik slapen.' Demonstratief doe ik mijn ogen weer dicht.

'Je hebt zes weken vakantie, Afke. Je kunt best aan het begin of aan het eind een weekje bij pake en beppe logeren. Dat vinden ze prima.'

'Maar ik niet. Het gaat erom dat we er altijd met z'n allen heen gingen, dat vond ik fijn. Dat papa...' Mijn stem stokt.

'Lieverd, de dingen zijn nu anders. Ik weet dat het wennen is, dat is het voor Simon en Wytse ook. Maar we zijn intussen bijna twee jaar samen, dan wordt het toch tijd dat je dit accepteert?'

Misschien stel ik me aan als een klein kind, dat zou best kunnen. Maar iedere keer als ik Jelle tegenkom op de trap of ergens anders in huis, gaat er een schokje door me heen omdat ik dan bedenk dat papa niet meer thuis woont.

'Laat maar. Ik ga wel mee, al hoef je niet te verwachten dat ik blij ben.' Ik draai me om en kruip nog dieper onder mijn dekbed. Ik hoop dat mama snel naar beneden gaat, want ik stik bijna.

Zodra mama weg is, wip ik mijn bed uit. Ik ben veel te onrustig om te slapen. In lezen heb ik geen zin en Jelle heeft nog steeds geen muziek op mijn mp3-speler gezet. Uit de kast pak ik mijn schetsboek en een potlood. Ik begin met de bank, de Geitenbank. Die staat niet ver van het huis van pake en beppe. Het is een hoge, stenen bank, die genoemd is naar een burgemeester met een te moeilijke naam, zodat we er 'Geitenbank' van maakten. Ik lag er vaak op te dromen. Dan kon ik over de weilanden uitkijken tot aan het IJsselmeer. Vaak kwam papa na een poosje bij me en droomde met me mee. Hij had meestal zijn gitaar mee, waarop hij wat pingelde. Hij bedacht gekke, grappige en een enkele keer verdrietige liedjes die ik al snel mee kon zingen. Of hij vertelde verhalen die de droomboom, zo noemde hij de enorme, oude boom die achter de bank stond, in zijn oor fluisterde.

Mijn potlood heeft de Geitenbank en de stam erachter in een paar strakke lijnen neergezet. Nu begin ik met het kriebelwerk van de takken en de bladeren. Meestal ligt er in mijn tekeningen iemand op de bank, maar deze keer blijft hij leeg.

Dit jaar gaan we niet naar pake en beppe. Niet gezellig met beppe en mama naar het strand, niet meer met pake over de slingerpaadjes fietsen, niet met z'n allen een ijsje eten bij de boerderij die het ijs zelf maakt.

Als ik vorige jaren op school vertelde over mijn heerlijke weken daar, was ik bijna de enige die zo dicht bij huis was gebleven en het toch zo fijn had gehad. Anderen moesten dagen in de auto zitten. Saai. Heel veel kinderen uit mijn klas hadden in Frankrijk gekampeerd of gelogeerd in een huisje. Een paar waren naar verre, zonnnige landen gevlogen en een paar waren thuisgebleven.

Dit jaar ga ik ook naar Frankrijk, net als iedereen. Ik heb het gevoel dat me weer iets wordt afgepakt.

Bij papa

De volgende ochtend weet ik de oplossing. Ik zal papa vragen of wij samen op vakantie kunnen gaan. Het liefst naar Gaasterland natuurlijk. Kan hij meteen goedmaken dat hij mijn verjaardag is vergeten. Het idee maakt me zo blij dat ik me aan het ontbijt weer normaal gedraag.

Aan mama kan ik zien hoe fijn ze dat vindt. Dat laat ik mooi zo. Natuurlijk vraag ik haar niet of ze het goed vindt dat ik na schooltijd met mijn fiets dwars door de stad rij. Ik weet best dat ze dat niet wil. Maar als ze van niets weet, kan ze het ook niet verbieden.

Het is ingewikkelder dan ik dacht om bij papa's studio te komen. Anders zit ik altijd bij hem in de auto. Als ik de grote kerk zie, weet ik dat het vlakbij is. Daar, het steegje in. De graffiti, die in felle kleuren en agressieve vormen op de muren is gespoten, maakt dat ik me niet prettig voel zo alleen. Snel zet ik de fiets op slot en ik ben blij als ik in de hal sta. Papa's studio bevindt zich in een groot gebouw met kleine bedrijfjes dat vroeger een weeshuis was. Het is stil in de hal. Ik klim de brede trap op en klop aan het eind van de gang op de deur.

Niemand doet open. Zou papa niet thuis zijn? Zou er niemand zijn? Ik dacht dat hij iedere dag oefende met zijn band; hij heeft het toch altijd druk?

Wacht, mijn mobiel. Papa heeft zijn eigen nummer er vast ingezet.

Antwoordapparaat. Zo kom ik niet verder. Met beide vuisten sla ik op de deur, tot ze pijn doen. En ineens staat hij voor mijn neus. 'Ha, kleine,' zegt hij, 'waar is de brand? Hoe ben je hier gekomen?'

'Gewoon, op de fiets. O, pap!' Ik sla mijn armen om hem heen en klem me vast. Hij doet verbaasd een paar stappen achteruit.

'Wat is er, meid? Kom mee naar binnen.'

Het is er een chaos, maar dat was de vorige keren ook zo. Verschillende instrumenten, krukjes, muziekstandaards met losse vellen muziekpapier, kabels, boxen, stekkers, lege bier- en wijnflessen, open pizzadozen zonder pizza en asbakken vol peuken. Ik stap over alles heen om in papa's hok te komen, waar de troep minstens zo groot is. Dan laat ik me op zijn bed vallen en probeer me er niets van aan te trekken dat de lakens stinken. Hoelang zou het geleden zijn dat papa zijn spullen heeft gewassen?

Met zijn gitaar gaat papa aan het voeteneind zitten. Ik kan me niet anders herinneren dan dat hij praat terwijl hij op zijn gitaar tokkelt, wijsjes uitprobeert en soms de zinnen kracht bijzet met een baspartij.

'Zeg het maar.'

Als ik het vertel, klinkt het kinderachtig: we gaan niet meer naar Gaasterland, maar naar Frankrijk. 'Ach,' zegt papa en hij speelt de akkoorden van het liedje over de droomboom. 'En nu?'

'Wil jij met me op vakantie?' Het komt er plompverloren uit, terwijl ik van plan was er een mooi verhaal omheen te breien. Hij schiet in de lach. 'Da's duidelijk, en dat moet ik ook zijn. Nee liefje, hartendiefje, het gaat niet.'

'Waarom niet?' Ik hoor zelf hoe verontwaardigd het klinkt. 'Op mijn verjaardag had je ook al geen tijd voor me!'

Het is even stil. Het voelt of ik voor de tweede keer de deur voor papa dichtgooi. Hij kijkt me aan, ik sla mijn ogen neer.

'Sorry,' mompel ik, 'sorry ook voor toen.'

''t Is al goed meid, ik had het er zelf naar gemaakt. Maar

met je op vakantie gaat echt niet, want net vandaag is de beslissing gevallen dat we met de band een maand, misschien ook twee, door Amerika gaan toeren. Super, hè?'

'Nou,' zeg ik. 'Maar ik wil best mee, hoor.' Dan heb ik op school nog eens iets te vertellen!

'Nee schat, dat gaat echt niet. Maar we houden contact.' Hij pingelt weer wat tot hij ten slotte zachtjes zingt: 'Oh Afke, my Afke, dear Afke, sweet Afke, oh Afke, my Afke, I miss you ev'ry day.' Blij kijkt hij op. 'Dat wordt een liedje, ik ga er een echte song van maken! Dan zing ik dat met de band en dan weet jij dat ik je nooit zal vergeten.'

Soms is papa net een klein kind. Hij zit nu zo vol van het nieuwe liedje dat hij al niet meer weet waar ik voor kom.

'Heb je wat te drinken?' vraag ik. Ik heb genoeg van dit grotemensenkind.

'Ja hoor, kijk maar in de koelkast.' Papa tokkelt door. Ik loop naar de studio. Hoe kan hij hier leven? Op de koelkast vind ik een aangebroken fles cola zonder dop. Nergens een glas te zien. Ik zet de fles aan mijn mond. Lauwe cola zonder prik, bah! Dan liever water uit de kraan, dat is tenminste fris.

Als ik genoeg heb, ga ik terug naar papa's kamertje. 'Dag pap, ik ga weer.'

Terwijl hij doorspeelt, vraagt hij: 'Moet ik je niet even brengen?'

'Hoeft niet,' zeg ik. 'Doeg!'

Zo komt mama ook niks te weten.

Voorpret (maar niet heus)

Tegelijk met mama kom ik thuis. 'Fijn,' zegt ze, 'kun je mooi helpen met het uitladen van de boodschappen.' Opgelucht dat ze niet vraagt waar ik zo laat vandaan kom, zeul ik met de zware tassen.

's Avonds bel ik met Bibi. Ik moet met iemand over de zomervakantie praten.

'Wat is het probleem?' vraagt Bibi. 'Wij gaan al jaren naar Frankrijk. Steeds naar een andere camping. Het is altijd super.'

Het klinkt zo makkelijk. Maar Bibi begrijpt niet waarom ik zo graag naar Gaasterland wil. Dus begin ik maar over papa's reis naar Amerika. Stoer, vindt ze en dat is het ook. Ik probeer net zo blij als Bibi te doen.

De komende dagen heeft mama het druk met Frankrijk. Er slingeren uitgeprinte folders van huisjes op de tafel. Wij mogen ze bekijken en commentaar geven. Dat doen Simon en Wytse met plezier, die hebben er echt zin in. Het ene huisje is te klein, het andere heeft bijna geen tuin, of er is geen water in de buurt. Ik kijk nauwelijks. Tot mama het huis laat zien dat alles in zich heeft: het is groot, al is er een slaapkamer te weinig, maar dat lossen we wel op, zegt ze. Er is een knots van een tuin bij en achter het huis slingert een beekje. Iedereen is enthousiast.

Ik hou mijn mond en denk aan al het water bij het huis van pake en beppe, aan het bos aan de overkant van de weg en de glooiende weilanden waar je op uitkijkt. In Gaasterland is het nooit vlak. Als je door de bossen fietst, ga je altijd heuveltje op en af. Wat moet je dan in Frankrijk?

Als Bibi bij ons is, laat mama haar het huisje ook zien. 'Mooi zeg,' vindt Bibi. 'Wat een ruimte! En je eigen beek achter huis, geweldig!'

'Wat vind jij ervan, Afke?' vraagt mama.

'Geweldig,' mompel ik Bibi na.

'Je zult zien dat het een prachtige vakantie wordt.' Mama knipoogt naar Bibi. Nu voel ik me helemáál een klein kind dat haar zin niet krijgt. Als mijn eigen moeder al gaat knipogen naar mijn beste vriendin! Woedend ren ik naar boven. Vakantie, bah, bah, bah!

Jelle ziet dat ik het moeilijk heb, nu iedereen het alleen maar over Frankrijk heeft. 'Zal ik muziek voor je op je mp3-speler zetten, Afke?' vraagt hij. 'Dan heb je iets om je onderweg mee te vermaken.'

Na bijna twee jaar ben ik er nog niet aan gewend dat Jelle dingen voor me wil doen. Dat deed papa soms toen hij hier nog woonde.

'Graag,' antwoord ik. Samen kijken we naar de cd's die hij erop gaat zetten. Als het naar mijn zin is, ga ik boven zitten luisteren. Intussen lees ik de gebruiksaanwijzing en ontdek dat ik er ook mee op kan nemen. Dat is leuk! Ik probeer een stukje uit en het lukt meteen.Wat kan ik daarmee doen?

Dan weet ik het. Ik ga radio maken voor papa. Als hij in Amerika is, kan ik hem niet bellen, heeft hij gezegd. Maar als ik inspreek wat we onderweg meemaken, is hij er toch een beetje bij. Want wat hij ook doet en hoe vaak hij me vergeet, hij is toch mijn vader. Ik noem het Radio Afke, besluit ik.

Radio Afke

Mama heeft me vroeg naar bed gestuurd, want vannacht gaan we op vakantie. 'Dan kun je nog slapen voordat we weggaan,' zei ze. 'Anders ben je morgen helemaal kapot.'

Slapen lukt niet omdat ik veel te kwaad ben op Simon en Wytse. Ze zingen steeds flauwe liedjes dat ik een bangerd ben die niet naar Frankrijk durft. Als mama of Jelle zeggen dat ze daarmee moeten stoppen gaan ze stiekem zachtjes door. Stomme jongens!

Ik besluit een begin te maken met radio voor papa. De mp3-speler heb ik in mijn rugzak met onderwegdingetjes zitten. Terwijl ik hem eruit haal, bedenk ik wat ik zal zeggen.

Lieve papa,

Vannacht gaan we weg. Ik heb er HELEMAAL geen zin in, maar dat weet je wel. Wat jammer dat ik niet mee kan naar Amerika. Weet je dat ik daarom radio voor je maak? Speciaal voor jou noem ik het Radio Afke. Dan ben je toch een beetje bij me.

Ik lig in bed en zou moeten slapen, maar dat lukt niet omdat ik boos ben. Zal ik me op de zolder verstoppen? Misschien vergeten ze me dan; het busje is toch al vol met jongens.

Moet je je voorstellen: zijn ze ergens in Frankrijk, zegt mama: 'Afke, wil je wat lekkers hebben?'

'Ze is er niet,' roepen Simon en Wytse.

Prompt begint mama ontzettend te huilen. 'Waarom wilden we ook naar Frankrijk?' snikt ze. 'Waarom konden we niet gewoon naar Gaasterland?'

Ze draaien de bus om en rijden het hele eind terug.

Intussen heb ik pake en beppe gebeld en die hebben me opgehaald. Ik lig allang op de hoge stenen bank, onder de droomboom.

Onze boom, papa!

Als ik mijn ogen dichtdoe, zie ik je voor de boom zitten, met de gitaar. Je tokkelt er wat op en je bedenkt liedjes waar je later thuis wat aan verandert. Nog veel later zing je die met Jan en de Jannen, als jullie ergens op moeten treden. Misschien zing je ze zelfs in Amerika!

Gek, ik moet toch in slaap zijn gevallen. Ik word pas wakker als mama aan mijn schouder schudt. 'Wakker worden Afke, we gaan.'

Ik voel me raar in mijn buik. Ben ik zenuwachtig misschien? Hoe dan ook, ik moet me aankleden. Verstoppen lukt nu toch niet meer.

Op reis

Voor mij is het vervelendste plekje in de bus overgebleven. Ik rij achteruit, met de rug tegen mama en Jelle, ingeklemd tussen de kleintjes die in hun stoeltjes zitten. Behalve Simon en Wytse met hun grijnsgezichten tegenover me, kan ik niks zien. Ik wil niet achteruit naar Frankrijk rijden!

'Voorlopig maakt dat niets uit,' vindt mama. 'Als je slaapt, is het toch donker.'

Ik had gedacht dat we helemaal alleen op de grote weg zouden rijden, maar dat is niet zo. We zien meer hoog opgeladen auto's, propvolle bussen en uitpuilende caravans rijden. Allemaal naar het zuiden. 'We gaan de zon achterna!' roept Jelle.

Tjongejonge, wat is hij blij! Zoveel lolligheid kan ik niet verdragen. Ik doe mijn ogen dicht. Aan weerszijden slapen de jongetjes, tegenover me hoor ik zacht gefluister en gegrinnik. Mama heeft gelijk, ik kan beter gaan slapen. Ik mis toch niks.

We zijn in België als ik wakker word. Niet dat je dat kunt zien. Als je over snelwegen rijdt, is het uitzicht bijna overal hetzelfde. De zon is intussen opgekomen. Simon en Wytse slapen nog. Simon heeft een draadje kwijl uit zijn mond hangen; heel lief, alsof hij een baby is. Wytses gezicht is ontspannen als een engel. Niet dat ik weet hoe een engel eruitziet, maar zo zou het kunnen zijn.

Ik moet plassen en ik heb honger. Maar met al die slapende jongens om me heen durf ik niks te zeggen, tot ik het gevoel heb dat ik het bijna in mijn broek doe.

'Mama,' fluister ik. 'Ik moet plassen.' Mama zegt niets. Zou ze ook slapen?

'Jelle,' probeer ik weer, een beetje harder nu. 'Kunnen we ergens stoppen? Ik moet plassen!'

'Wat zeg je?' bromt Jelle.

'Ik moet plassen. Heel nodig!'

'Ik kan hier niet midden op de grote weg stoppen. Kun je het niet even ophouden?'

'Nee, echt niet!' Ik knijp nog harder.

'Wat izzer?' Mama wordt kennelijk wakker.

'Afke moet plassen.'

'Hm. Stoppen dan maar. Ik moet ook.'

Jelle zucht. 'We kunnen hier niet zomaar stoppen!'

'Kijk daar. Over twee kilometer is een parkeerplaats. Nog even knijpen, Afke!'

Ik zit te wriemelen en knijp mijn lippen op elkaar. Het zal me niet overkomen dat ik in mijn broek plas! Jelle scheurt de parkeerplaats op en stopt.

Tegenover me worden de jongens wakker. 'Hè, zijn we er al?' Wytses stem is dik van de slaap.

'Nee, plaspauze.' Jelle smijt de deur open en ik probeer zo snel mogelijk tussen de stoeltjes uit te komen. Simon gaat expres in de weg staan. 'Ga zitten,' roep ik, 'ik moet eerst.'

'Ha, ha,' brult Simon, 'Afke doet het in haar broek!'

'Doe niet zo flauw.' Jelle duwt Simon aan de kant en laat mij eruit. Mama staat al klaar met een rol wc-papier. 'Kom op meid, rennen.'

Als we terugkomen is de tweeling ook wakker. 'Kunnen we meteen wat eten en drinken en Arnout en Marcel verschonen,' vindt mama.

Voorin heeft ze twee tassen met fris en broodjes en een kan met koffie. We zitten aan een picknicktafel. Het verbaast me dat er zo veel mensen op pad zijn.

Nadat iedereen genoeg heeft gegeten en de tweeling is

verschoond, wil mama dat ik weer achterin ga zitten.

'Dat doe ik niet. Zolang het donker was moest ik daar zitten, maar nu is het licht. Als ik weer achteruit moet rijden, ga ik kotsen.'

'Rustig maar,' zegt mama. 'Je mag tussen ons inzitten als je je gedeisd houdt. We moeten straks om Parijs heen rijden en daar is het druk.'

Aan Jelle kan ik merken dat hij zenuwachtig is. Hij loopt steeds heen en weer en doet nijdig tegen Simon en Wytse.

'Als jij liever niet rijdt, wil ik wel,' biedt mama aan.

'Niks aan de hand.' Jelle doet stoer. Even later rijden we de parkeerplaats af.

Ik heb mijn mp3-speler meegenomen. Ik ga een live-verslag van onze reis maken. Zal papa vast leuk vinden.

De reis om Parijs

Voor in de bus zit ik hoog. Vanaf hier zal ik vast een mooie livereportage kunnen maken, want er ontgaat me niets. Het is vreselijk druk op de weg. Er zijn wel acht banen. Auto's scheuren ons aan alle kanten voorbij. Jelle heeft het niet makkelijk om de goede rijbaan te vinden zonder andere auto's voor de wielen te rijden. Ik zet de mp3-speler op 'rec'.

Lieve papa,
We rijden nu om Parijs. Het is hier ontzettend druk. Misschien kan ik niet eens alles vertellen wat ik zie.

Jelle: 'Wat zit jij voor je uit te mompelen.'
Afke: 'Ik maak een reportage over onze reis.'
Jelle: 'Een beetje stiller, graag. Zo kan ik me niet concentreren.'
Mama: 'Laat dat kind toch. Doe het wat zachter, Afke. Dan heeft niemand er last van.'

(op fluistertoon) Verslaggever: 'De bijrijder, Mieke Santingh, heeft thuis al een routeplanner uitgeprint. Ze heeft ook een kaart van Frankrijk op haar schoot. Ze kijkt op beide tegelijk en probeert ondertussen de grote borden aan de kant van de weg te lezen. Nu en dan geeft ze aanwijzingen aan de chauffeur.'

Mieke Santingh: 'Je kunt beter op de rechterbaan rijden, Jelle. Straks mis je een afslag.'
Jelle de Vries: 'Even deze vrachtauto inhalen, anders zie ik niks.'
(luid getoeter)
JdV: 'Stomme Fransen! Kunnen niet autorijden.'

MS: 'Nee Jelle, jij gaf niets aan. Je zette de bus pal voor de auto achter ons. Kijk daar!'

JdV: 'Wat is er?'

Verslaggever: 'De bestuurder van de andere auto toetert woedend. Andere chauffeurs wijzen wild naar hun voorhoofd of gooien hun armen in de lucht. Ik kan zien dat bestuurder Jelle de Vries het zweet op zijn voorhoofd heeft staan.'

MS: 'Daar rechts was een bord en omdat jij net die vrachtauto inhaalde, kon ik niet zien wat erop stond!'

JdV: 'Er komt straks wel weer een bord. Ik ga zo terug naar de rechter rijbaan.'

Verslaggever: 'Geachte luisteraars, het is mogelijk dat dit verslag bijna niet meer te volgen is. De stemming in deze bus is namelijk niet best. Meneer De Vries heeft zijn kaken op elkaar geklemd. Hij laveert door het verkeer, dat van alle kanten lijkt te komen. Als er een gaatje is, schiet hij erin. Zonder iets aan te geven, snijdt hij andere auto's af. Hun reactie is duidelijk te horen: piepende remmen en luid getoeter. Meneer De Vries houdt het stuur zo stijf vast dat zijn knokkels er wit van zijn. Zijn mond staat geen seconde stil. Hij moppert voor zich uit en vloekt en scheldt op andere bestuurders. Wij van Radio Afke volgen hem even.

JdV: 'Zie je! Nergens staat fatsoenlijk aangegeven waar je moet afslaan. Hé sukkel, zie je niet dat ik hier rijd!'

MS: 'Een beetje kalmer mag ook wel.'

JdV: 'Houd je mond. En Afke, doe dat ding uit. Ik moet me concentreren. HAAL DAT DING VOOR MIJN GEZICHT WEG!'

Het is doodstil in de bus na deze uitbarsting. Je hoort het brommen van de bus, het stotend schakelen en piepend remmen. Dan weer het haastig optrekken. Mama wijst zwijgend waar we naartoe moeten.

Eindeloos rijden we door Parijs. Of om Parijs. Hoe dan ook, het lijkt alsof het steeds drukker wordt, alsof alle auto's van de hele wereld hier moeten zijn. Parijs is een vreselijk grote stad. Denk ik. Want het houdt nooit op.

(Zwijgen. Brommen. Afremmen. Optrekken.)

Verslaggever: 'Er hangt intussen zo'n spanning in de bus dat ik me afvraag of we onszelf straks niet zullen opblazen. Volgens mij is het tijd om meneer De Vries en mevrouw Santingh wat af te leiden.'

A: 'Wat is het hier druk, hè mam?'

MS: 'Ja schat, dit is Parijs.'

A: 'In Gaasterland zijn geen files, hè mam?'

MS: 'Nee meid, daar is het heerlijk rustig.'

(schreeuwt) JdV: 'Als jullie nou eens je mond hielden, dan was het hier ook een stuk rustiger!'

MS: 'Jelle! Doe es kalm!'

JdV: 'Niks kalm. Kijk!' (Meneer De Vries schiet in een gaatje.) 'Dat is de afslag die we moeten hebben. Dat was jou mooi ontgaan met je gekwek. Ik wist wel dat het goed zou komen.'

Verslaggever: 'Een diepe zucht gaat door de bus als we merken dat het echt rustiger wordt op de weg. Jelle veegt het zweet van zijn voorhoofd en ik besluit met deze reportage te stoppen.'

We zijn er bijna!

'Nu rijd ik,' zegt mama na de volgende stop. 'Het is tijd dat je rust neemt.'

Zonder tegensputteren stapt Jelle aan de andere kant in. Naar mijn gevoel rijden we uren. Er komen steeds meer heuvels en velden met zonnebloemen. Echt prachtig. Het wordt nog mooier als we van de grote weg afgaan. Daar worden de wegen smaller en komen er meer bochten. Jelle zit met drie kaarten op schoot en een briefje waarop staat hoe we bij het huis moeten komen.

Bij een piepklein gehucht – vijf huizen, een pleintje, een winkel en een kerk – zegt hij: 'Dit moet het dorp zijn. Na de kerk rechtsaf en dan nog een paar kilometer.'

Ik wil geen zin in de vakantie krijgen, dat vind ik niet eerlijk tegenover pake en beppe, maar het gaat vanzelf. Ik ben zo verschrikkelijk benieuwd!

Jelle laat me de foto van het huis zien. Ik kan het al bijna dromen. Het is een lang, wit huis met een oprijlaan ervoor. We rijden heuvel op en heuvel af, en ineens roept Jelle: 'Dat moet het zijn.'

Het is echt een heel groot huis!

Even denk ik aan de verbouwde garage van pake en beppe. Dit is wel wat anders! Het is nog groter dan op het plaatje. Gek hè, ik vind het prachtig en tegelijkertijd ben ik kwaad op mezelf omdat ik het zo mooi vind. Want eigenlijk wil ik dat niet.

Bah, soms vind ik mezelf behoorlijk lastig om mee te leven.

Mama rijdt de oprijlaan op en stopt voor de deur. De bus staat nog niet stil of de jongens springen eruit.

'Cool,' roept Simon, 'het lijkt wel een boerderij!'

'Met een eigen bos erachter. Kom mee, dan gaan we kijken.' Wytse rent naar de achterkant van het huis waar hoge bomen staan.

Ik wil er ook uit, maar mama en Jelle schieten niet op. Pas als een van hen eruit is, kan ik achter de jongens aan gaan en tegen die tijd zijn ze al achter het huis verdwenen.

'Wat ga je doen?' vraagt mama als ik weg wil sprinten.

'Gewoon, even kijken.'

'We zullen hier lang genoeg zijn, in de komende weken kun je alles zien. Eerst moeten we uitladen. Pas jij zolang maar even op Arnout en Marcel.'

Ik ben hartstikke gek op mijn broertjes, maar soms, als ik weer op moet passen, wilde ik dat mama en Jelle katten hadden genomen in plaats van kinderen. Katten zorgen tenminste voor zichzelf.

Arnout en Marcel zijn warm en moe. De ene huilt nog erger dan de andere. Gezellig!

En Arnout stinkt een uur in de wind.

'Maham, heb je luiers?'

Ze komt net met de grote tas aanzeulen waar de spullen van de jongetjes in zitten. 'Geef mij de jongens maar. Misschien kun jij Jelle helpen.'

Dit is helemaal mooi, Jelles' zonen mogen buiten rennen en ik niet!

Jelle is intussen naar het huis gelopen en probeert de deur van het huis open te maken. Hij rammelt eraan en doet de kruk naar beneden, maar er zit geen beweging in.

'Heb je wel een sleutel?' vraag ik.

'Zie jij er één?' Het is aan Jelle te horen dat hij moe is, dan wordt hij altijd chagrijnig.

'Zal ik even kijken?'

Vanbinnen moet ik lachen, want bij de beschrijving van het huis heb ik gelezen dat de sleutel in de brievenbus ligt. Die bus hangt aan het begin van de oprijlaan, dat heb ik wel gezien. Maar ik vertel het Jelle lekker niet.

Vrolijk huppel ik de oprijlaan af terwijl ik weet dat Jelle bijna uit elkaar spat. 'Waar ga je naartoe?' brult hij me achterna.

'Gewoon,' zeg ik en ik huppel verder.

Eigenlijk is het te warm om te huppelen, maar ik kan het niet laten. Ik weet dat het Jelle woest maakt.

'AFKE!' Dat is mama. Arme Arnout, hij kan er wel doof van worden.

'Wat is er, mam?'

'KOM HIER!'

'Ik haal alleen de sleutel even op.' Ik ben bij de brievenbus aangekomen, steek mijn hand erin en tover een heel grote, ijzeren sleutel tevoorschijn. 'Kijk maar.' Onschuldig lach ik Jelle toe.

In stripboeken zie je soms hoe iemand vreselijk kwaad wordt. Aan rare tekentjes en doodskoppen boven zijn hoofd. Dat soort dingen zie ik Jelle nu denken, maar hij houdt zich in en zegt niks. Dat vind ik zo knap dat ik een beetje sneller terughuppel om hem de sleutel te geven.

'Alsjeblieft.'

'Dank je wel.'

Hij steekt de sleutel in het slot, draait hem om en opent de deur. Voor ons is het donker en vooral koel als we naar binnen gaan.

'Lekker hier,' zeg ik. Het is een heel grote keuken.

Jelle zakt op een stoel neer. 'Zeg dat wel.'

Hij moet wel ontzettend moe zijn.

'Wil je wat drinken?' Omdat ik wat goed te maken heb, snuffel ik in de keukenkastjes tot ik een glas heb gevonden. Het water uit de kraan is heerlijk koud, voel ik. Ik schenk Jelle een glas water in en zet het voor hem neer.

'Alsjeblieft.'

'Dank je.' In een paar slokken klokt Jelle het glas leeg.

'Nog een?'

'Nee, dank je. Even zitten.'

Ik wil verkennen, net als de jongens. Misschien is er ergens een achterdeur, zodat mama me niet ziet. Ik laat Jelle alleen en ga op onderzoek uit.

Het huis met de luiken

Ik ben in ons zomerhuis. Het is een heel groot huis met blauwe luiken. Ik heb het net verkend en maak nu een verslag voor papa. Lekker in mijn eigen kamer. En wat voor één! Maar dat komt straks.

Hoi pap,

We zijn in het huis en het is prachtig. Ik vertel je er alles over.

Toen ik binnenkwam, stapte ik in de keuken. Het was er schemerig.

'Waarom is het zo donker?' vroeg ik aan Jelle. 'Moeten we altijd het licht aan hebben?'

Jelle zei dat het van de luiken kwam die voor de ramen zitten. Ze houden 's zomers de warmte buiten en 's winter de kou. Toen Jelle er een opendeed, was er ineens overal licht.

De keuken is enorm. In het midden staat een lange houten tafel met aan de ene kant stoelen en aan de andere kant een lange houten bank. Je kunt er met minstens tien mensen aan eten! Dat zou net wat voor jou zijn, pap.

Langs de muur is een aanrecht, een oven, een afwasmachine en heel veel kastjes. Op de tafel staat een vaas met zonnebloemen en een fles wijn.

Achter in de keuken zag ik een deur. Toen ik hem opende, zag ik dat het er pikkedonker was. Ik zocht het lichtknopje en draaide het om.

Intussen waren mama, Simon en Wytse ook binnen. Achter elkaar liepen we een lange gang in. Er waren drie deuren links en twee rechts. In de eerste kamer staat een groot, hoog houten bed. Er ligt een vrolijke sprei met bloemen overheen. Net zoals bij beppe. Daar wilden Simon en Wytse wel slapen.

Midden in de volgende kamer stond een vreemd bed. De voor- en achterkant waren zo hoog dat je op de matras moet staan om eroverheen te kunnen kijken. Het raarst zijn de zijkanten: spijlen die net zo hoog zijn als de voor- en achterkant.

Mama dacht dat er misschien vroeger iemand sliep die slaapwandelde. Ze morrelde aan knopjes en haakjes tot ineens de zijkant naar beneden schoot. 'Dit is een geschikt bed voor Arnout en Marcel,' zei ze.

De derde kamer lag helemaal aan het einde van de gang. Het is eerder een zaal dan een kamer. Tegen de muur staat een verschrikkelijk groot, houten bed. Er past wel een hele familie in!

Langs de andere muur staat een batterij kasten en als je door de kamer loopt, kom je weer bij buitendeuren uit. Mama deed de luiken open en in een keer stroomde de zon naar binnen. Ze begon er bijna van te jubelen, zo mooi vond ze het dat ze van de slaapkamer in de tuin kon stappen. Dat wordt dus hun kamer.

Ik vroeg me af waar ik moest slapen. Misschien dat er nog een kamer aan de andere kant van de gang was. Ik sjokte terug om te kijken. Ik was moe en zou best op zo'n groot bed als dat van mama willen liggen.

Achter de eerste deur zat een badkamer en achter de tweede een soort washok. Nergens een bed te zien. Ik liep terug naar de keuken waar Jelle aan het opruimen was.

'Waar gaat die deur naartoe?' vroeg ik en ik wees naar een deur achter hem. Jelle had geen idee en dus deed ik de deur open. Het was er net zo donker als op de gang en het rook er muf. Ik tastte naar het lichtknopje. Het was net zo'n ouderwetse als bij pake en beppe. Toen ik de knop omdraaide, wist ik niet wat ik zag. Nog nooit had ik zo'n volle kamer gezien! Weet je wat erin staat?

Een gebloemde bank met twee gebloemde leunstoelen, een tafeltje waar je nauwelijks bij kunt komen omdat het er zo vol is, een poef, een met leer bekleed stoeltje, een enorm dressoir en een houten schommelstoel. Op de vloer liggen drie kleedjes, maar het wonderlijkst zijn de muren. Het behang heeft grote bloemen – andere dan de bank en de stoelen – en alle muren hangen vol. Met schilderijen van landschappen, portretten en bloemen, met droog-boeketten, een klok die op tien over elf staat en vijf lampjes met franje eraan. Er is bijna geen plekje te vinden waar niets hangt of staat.

Of dit een kamer of een opslagruimte moet voorstellen, een slaapkamer is het zeker niet.

Ik ging terug naar de keuken en schonk mezelf een glas water in. Mama en Jelle ruzieden over waar ik moest slapen. Ze wilden me bij Arnout en Marcel in het hemelboxbed stoppen, maar dat wilde ik absoluut niet!

'Dan nog liever op de stenen vloer hier in de keuken!' riep ik.

Na veel gedoe zetten Jelle en de grote jongens alle stoelen, krukjes en wat er verder in deze rare kamer stond op een rij tegen de muur. Hier en daar stapelden ze meubels op elkaar zodat er een beetje ruimte ontstond. Nu kan ik zonder struikelen bij de bank komen.

Mama toverde de bank tot een bed om en op de enige stoel waar niets staat, zette ik mijn koffer. Ik moet zeggen, de bank ligt heerlijk. Nu weet je alles en ga ik even slapen. Dag pap.

La carte syfoeplè

Mama maakt me wakker. 'We gaan eten, lieverd.'

Ik kijk sloom om me heen. Bloemen, overal bloemen. Waar ben ik?

'Hatsjie!' Mijn neus kriebelt. 'Eten?' vraag ik dan.

'Gezondheid. Je bent in slaap gevallen. Je was zeker moe van de reis, dat zijn we allemaal. Daarom gaan we gezellig uit eten. En daarna naar bed. Dan zijn we morgen weer fit.'

Frankrijk. Daarom zie ik overal bloemen!

Snel stap ik van de bank, die toch best lekker ligt. Ik maak me klaar. Buiten schijnt de zon nog steeds heerlijk. De jongens zitten al achter in de bus en ik mag weer voorin.

Mama rijdt over het bochtige weggetje naar het dorp en parkeert de auto. Ik vraag me af of er in zo'n klein dorp wel een restaurant is, maar voordat Arnout en Marcel in de buggy zitten, schreeuwen Simon en Wytse al: 'Hier is het!'

Het ziet eruit als een haveloos café, maar misschien is dat hier gewoon. Hoewel er tafeltjes buiten staan, zit er niemand te eten. Een paar oude mannetjes drinken koffie en kijken naar ons.

'Bonjour,' zegt mama en ik doe haar na: 'Bonjour.'

De mannetjes lachen en knikken terug.

Achter elkaar stappen we het café binnen. Wat een donker hol. Er is niemand.

'Hoe kan dat nou?' vraagt Jelle. 'Het is half zeven!'

'Wat ben ik ook een stommeling,' zegt mama. 'In de landen rond de Middellandse Zee eten ze altijd veel later.

De eerste mensen komen pas tussen zeven en acht uur.'

'Maar wij hebben honger!' Simon en Wytse zitten al aan de langste tafel.

'Honge, honge!' roepen Arnout en Marcel vanuit de buggy.

'We willen patat,' gaan Simon en Wytse verder.

'Tat, tat, tat,' roept Arnout, en Marcel zegt zachtjes: 'Tat, tat, tat!'

'Zullen we eerst eens op de kaart kijken wat er is? Jelle en Afke, gaan jullie ook nog zitten?'

Ergens vanuit het duister komt een man naar ons toe. Hij houdt een heel verhaal in het Frans waar ik niets van snap. Wat spreken Fransen snel!

Mama zegt iets terug. De man gaat weg en komt even later terug met een handvol menukaarten.

'We kunnen alvast iets uitzoeken en wat te drinken bestellen,' zegt mama. Ze deelt de kaarten uit.

'Dit kan ik niet lezen,' ontdekt Wytse.

'Het is Frans, sukkel.' Simon zit de kaart met een geleerd gezicht te bestuderen alsof hij er alles van snapt.

Ik probeer woordjes te zoeken die ik begrijp. Salade. Frites.

'Ik wil wel een salade,' zeg ik. 'En friet.'

Jelle legt de kaart aan de kant. 'Mijn Frans is beroerd. Vertel jij het maar Mieke, dat is het handigst.'

'We kunnen het beste een menu kiezen.'

'Is dat niet duur, een menu?' Jelle kijkt bedenkelijk.

'Als je een menu neemt, ben je goedkoper uit.'

'Doe maar,' zegt Jelle. 'Kan ik bier krijgen of drinken die lui hier alleen maar wijn?'

'Je kunt bier krijgen, maar dan rij ik straks terug.'

'Mag ik zo'n rond flesje met sinas, mam?' vraag ik. 'Dat is lekker.'

Mama wenkt de man achter de bar en bestelt. 'Jullie ook Orangina, jongens?'

'Best.' Simon en Wytse hangen op hun stoel. Doen ze stoer of zijn ze gewoon moe?

Als de man weg is, kijkt mama tevreden om zich heen. 'Zo, nu zijn we echt in Frankrijk en krijgen we echt Frans eten.'

'Als we maar friet krijgen,' zeurt Wytse.

'Tjonge, jonge, jullie staan wel open voor nieuwe dingen, zeg! We zijn op vakantie in een ander land. Dan eet je ook andere dingen. Dat is juist leuk.'

De man loopt druk heen en weer, met drinken, met mandjes vol broodjes en schaaltjes sla.

Ik neem een slokje sinas, pak een broodje en pluk de lekkerste dingen uit het schaaltje salade. Laat de jongens maar zeuren.

Als de tweede gang wordt gebracht, zegt Jelle verbaasd: 'Hé, er ligt alleen maar vlees en friet op het bord. Waar zijn de groenten?'

'De Fransen beschouwen aardappels of friet als groente.'

'Wat is dit?' vraagt Simon. Hij neemt voorzichtig een hapje vlees.

'Eend.'

Ik vind alles lekker, al mis ik de mayonaise op de friet. 'Dat eten ze hier niet zo,' zegt mama. Voor het eerst is het stil aan tafel. Als iedereen zijn bord heeft leeggegeten, komt de ober weer langs om de spullen op te halen.

'Wat krijgen we nu?' wil Simon weten.

'IJs?' vraagt Wytse.

'Wacht maar af, jongens.'

Zonder dat we opnieuw een kaart hebben gekregen, komt de ober terug met een plank vol kazen. Simon houdt zijn neus er vlakbij en snuift. 'Bah, zweetvoeten! Dat hoef ik niet.'

'Ik ook niet,' zegt Wytse.

'Wat is dat blauwe?' vraag ik en ik wijs een stukje kaas met blauwe sliertjes aan.

'Schimmelkaas. En dat is witte brie. Lekker,' zegt Jelle. 'Wie wil een stukje?'

'Ik houd er niet zo van,' zegt mama. 'Sorry, ik moet naar de wc.'

'Ja, ga maar,' bromt Jelle. Hij snijdt een hoekje van een stuk kaas en houdt het omhoog. 'Iemand zin?'

De jongens en ik hoeven niet. Jelle zit van de kazen te smikkelen. Tegen de tijd dat mama terug is, heeft hij drie kaasjes op.

'Jelle!' roept mama. 'Wat heb je nou gedaan?'

'Kaas gegeten.' Jelle wrijft tevreden over zijn buik. 'Heerlijk!'

'Maar het is niet de bedoeling dat je alles opeet!'

'Waarom niet? Die man gaf toch het hele bord? Bovendien heb ik niet alles opgegeten. Kijk maar, er zijn nog twee kaasjes over. Die vond ik niet lekker.'

Mama schudt haar hoofd. 'Het is de bedoeling dat je van twee of drie kazen een stukje afsnijdt. Meer niet. Ik schaam me dood.'

'Dat hoeft niet, hoor. Dan moeten ze dat erbij zeggen. Niet dat ik het versta...' Jelle blijft er ijskoud onder.

'Mogen wij ook nog wat? IJs of zoiets?' vraagt Wytse. 'Of heeft papa ons toetje opgegeten?'

'Ik leg het wel uit,' zegt mama. 'Haal jij de kaart maar even, Afke.'

'Wat moet ik dan zeggen?'

'La carte, syfoeplè.'

Terwijl ik naar de bar loop, herhaal ik: 'La carte, syfoeplè. La carte...'

De man bij de bar kijkt me vragend aan. 'La carte eeeh,' stamel ik.

'Oui, oui!' Hij lacht breed en geeft me een handvol kaarten mee.

We kunnen kiezen uit pudding, ijs of vruchtentaart en het is allemaal heerlijk. Pas als we klaar zijn met het toetje komen er andere mensen.

44

'Zullen we nog even blijven?' vraag ik. 'Het wordt nu gezellig.'

'Nee Afke, we moeten naar huis. We zijn allemaal doodmoe. Kijk maar naar Arnout en Marcel.' Ze slapen al, met hun hoofd op hun borst. De schatten!

Hatsjie!

Ik heb heerlijk geslapen op de bank. Maar nu heb ik wel kriebels in mijn neus. Om de haverklap moet ik niezen. Snel ga ik naar de keuken, mama zal wel zakdoeken hebben. De deur naar buiten staat open en ik zie dat iedereen al aan de picknicktafel zit te eten. Heerlijk om zo op mijn blote voeten en met alleen een nachthemd aan naar buiten te lopen. Er is toch niemand die me ziet.

'Ha, langslaper,' zegt mama. 'Ben je toch nog wakker geworden?'

'Ja, ha... ha... hatsjie! Zoals je ziet.'

'Wat nou? Ben je verkouden? Wil je thee?'

'Hatsjie!' proest ik nog eens. 'Kdiebel id be deus en ja, gdaag thee.' Ik ga naast Wytse zitten, die een half stokbrood met pindakaas in zijn mond probeert te stoppen.

'Lekker?' vraag ik.

Hij knikt heftig, niet in staat iets te zeggen.

Jelle geeft me een stuk stokbrood. Ik snijd het door en smeer er boter en jam op. Heerlijk! Niet alleen het verse brood, maar ook om zo met z'n allen in de zon te ontbijten. Ik nies nog eens en nog eens.

'Wat heb je toch?' vraagt mama.

Ik haal mijn schouders op.

'Ben je ziek?'

'Ik moet steeds niezen en er loopt water uit mijn ogen en mijn neus. Mag ik nog een stukje stokbrood?'

Als Arnout en Marcel ook niezen, zegt mama: 'Dat is van het stof, natuurlijk. We moeten straks eerst het huis goed schoonmaken, dan gaat het vanzelf over. De dekens van de bedden halen, de kussens uitschudden, alles afstoffen en stofzuigen. Als je het eten op hebt, Afke, moet je eerst maar een poos buiten blijven. Dan gaan Jelle en ik aan de slag met het huis.'

'Dat moet dan maar,' zeg ik zogenaamd zielig en ik nies nog een keer.

'Aansteller! Nu weten we het wel.' Simon en Wytse staan al. 'Wij gaan het bos in, hierachter.'

'Ik ook,' zeg ik en ik sta op.

'In je nachthemd zeker!'

'Trek maar snel je kleren aan, Afke.'

Binnen twee minuten heb ik me aangekleed, maar de jongens zijn al vertrokken. Het maakt niet uit, in mijn eentje vind ik het ook wel.

'Ik vind het niet prettig dat jij alleen dat bos in gaat,' zegt mama.

'Dat doe ik bij pake en beppe ook!' Wat een onzin.

'Daar ken je de weg, maar dit is vreemd. Jelle gaat wel met je mee.'

'Oké. Kom je, Jelle?'

Jelle is volgens mij allang blij dat hij niet hoeft te poetsen. We lopen om het huis naar het bos. Eigenlijk vind ik het geen echt bos, het zijn meer bomen met wat struikgewas en varens. Maar het is er wel mooi en geheimzinnig. Jammer dat Jelle erbij is; die stampt als een olifant.

Gek is dat, als ik met hem samen ben, merk ik echt wel dat hij zijn best doet om aardig voor me te zijn. Maar het voelt toch niet zo vertrouwd als met papa. Ik zou het raar vinden hem om de hals te vallen of te knuffelen of eens flink ruzie met hem te maken. Daarvoor blijft hij te veel een 'vreemde'. Zouden Simon en Wytse dat ook met mama hebben? Zou dat ooit wennen?

We lopen door de struiken. Er zijn al zo veel mensen geweest die dat vóór ons hebben gedaan dat er een spoor is ontstaan.

'Afke, wacht even!' hoor ik Jelle achter me roepen. Ik

ben zo in gedachten dat ik hem helemaal vergeet.

Als ik me omdraai, zie ik Jelle in een bramenstruik hangen. Het ziet er zo dom uit, dat ik in de lach schiet. 'Nee, ik lach je niet uit,' zeg ik als ik zie dat de doornen hem pijn doen. Voorzichtig maak ik hem los zodat we door kunnen gaan.

'De jongens zullen wel bij het beekje zitten,' zeg ik.

'Welk beekje?'

'Dat hoor je toch?' Ik leg mijn wijsvinger op mijn lippen.

De toppen van de hoge bomen die vlak achter de struiken staan, ruisen. Maar verder weg is duidelijk het geluid van een stromend beekje te horen.

'Je hebt gelijk,' zegt Jelle. 'Denk je dat ze daar zitten?'

'Misschien zijn ze wel aan het vissen.'

'Volgens mij staan er in de oude schuur naast het huis een paar hengels. Zouden ze die hebben meegenomen? Wil jij trouwens ook vissen, Afke?'

'Nee. Als vissen hardop konden huilen, zou jij ze ook niet willen vangen. Papa heeft er een liedje over geschreven,' zeg ik er gedachteloos achteraan. Aan Jelles gezicht kan ik zien dat dat een stomme opmerking is. Ik wil hem geen pijn doen, maar soms doe ik het toch. Het is eruit voordat ik het door heb en tegelijk denk ik: ha, ha. Van die gedachte heb ik even later alweer spijt. Gelukkig wordt het weggetje zo smal dat we achter elkaar moeten lopen. Ik natuurlijk voorop, want ik loop sneller.

'Ooooh, mooi! Moet je zien, Jelle!'

Tussen de struiken en bosjes door glinstert een stroompje. Het water huppelt over dikke stenen. Een eind verderop zitten Simon en Wytse, elk op een kei.

'Hoi!' roept Wytse. 'Mooi man, deze rivier!'

'Kun je erin zwemmen?' vraag ik.

'Veel te koud! Maar wel vissen, denk ik.' Simon hangt bijna met zijn neus in het water.

Jelle komt er ook bij staan. 'In de schuur bij het huis staan hengels.'

De jongens springen meteen op. 'Waar? Dan halen wij ze wel.'

Haastig rennen ze terug naar het huis, Jelle volgt kalmpjes. Ik blijf alleen achter.

Dromen

Ik heb nog nooit een beek gezien, een echte, die stroomt. Ik doe mijn schoenen uit en steek voorzichtig mijn grote teen in het water. Koud!

Toch kan ik het niet laten om erin te gaan. Niet om te zwemmen, want het is ijsblokjeswater. Maar een eindje verderop zie ik een grote zwerfkei waarop ik kan zonnen. Tussen mij en de steen liggen keien, kleine en grotere. Ik klauter van de ene naar de andere en glibber soms een eindje terug. Langzaam kom ik vooruit. Het is een heerlijk gevoel: de warmte van de zon op mijn rug en het ijskoude water dat om mijn benen spoelt. Als ik de steen bereik, wip ik erop en ga languit op mijn rug liggen. Het is net een scherp afgesneden podiumpje. Op het ruisen en spetteren van de beek na is het stil.

Het doet me denken aan de stilte van het bos in Gaasterland. Je hoort geen mensen, geen blaffende honden, geen auto's, alleen natuur.

Zouden ze me missen, pake en beppe? Mis ik hen?

Het fijne van Gaasterland is dat alles veilig en vertrouwd is. Als de loop van een bospad is veranderd, of als in een stuk weiland paarden in plaats van schapen grazen, is dat al iets bijzonders. Hier is alles nieuw.

Ja, ik mis pake en beppe wel. Ze laten me altijd vrij door het bos lopen, bij hen hoeft er niemand mee. Daarom vind ik dit ook zo heerlijk, even helemaal alleen zijn. Net als op de Geitenbank, gewoon liggen en kijken en luisteren. Als papa hier zou zijn, zou hij de beek liedjes laten zingen zoals de grote boom bij de Geitenbank verhalen vertelt.

Even voelt het naar in mijn buik. Ik neem me voor

straks weer een stukje radio voor hem te maken. Ik draai me op mijn buik en schuif een eindje op, zodat mijn hand net het water raakt. Het water spettert glinsterend tegen mijn arm op.

Wat zullen we vandaag gaan doen? Mama en Jelle zijn toch niet de hele dag bezig met het huis soppen en boenen? Wat doen andere mensen in de vakantie? Er is geen zwembad bij het huis, geen schommel of iets anders waar je mee kunt spelen, op een zandbakje na. Andere kinderen spelen natuurlijk met hun broers of zussen. Gek, toen ik alleen met mama en papa op vakantie was, verveelde ik me nooit. Als iedereen het druk had en ik geen zin had om alleen te spelen, ging ik naar Hester, die op een boerderij een eindje verderop woonde. Zou ze me ook missen? Zij ging nooit op vakantie, hoogstens logeerde ze ergens een weekje bij haar tante in Amsterdam. Dat vond ze prachtig.

'Hé, slaapkop! Wakker worden!'

Dat is Wytse. Ik draai me om en zie de jongens met hun hengels naar me toe komen.

'Mooi plekje daar,' zegt Simon. 'Kunnen wij er nog bij? Midden in het water, dan vangen we vast wat.'

Ik ga zitten en laat me van de steen glijden. Als ik zie dat Simon zo in het beekje zal stappen, waarschuw ik: 'Schoenen uitdoen, joh, water is nat, weet je!'

'Maar het is koud!'

'Ha, watje.' Ik klauter snel over de keitjes en voel me trots als ik even later zie hoe de jongens moeizaam vooruitkomen. Ze schreeuwen het uit dat het water koud is. 'Jullie zijn net een stel gillende keukenmeiden!' roep ik.

Ik doe mijn T-shirt uit en droog er mijn voeten mee af. Mijn sokken en schoenen trek ik weer aan en dan ga ik terug naar huis. Radio maken voor papa.

Naar het dorp

Bij het huis staat mama op het punt in de auto te stappen. Arnout en Marcel zitten achterin.

'Waar ga je heen?' vraag ik.

'Boodschappen doen. Wil je mee?'

'Ja, zo. Ik moet even wat pakken.'

Ik ren naar binnen om mijn mp3-speler te halen. Als mama winkelt of als ik niks te doen heb, kan ik een stukje voor papa maken.

Interviewster: 'Ik zit hier op een terras in een klein Frans dorpje. Ik ben aangeschoven bij een mevrouw met twee kleine jongetjes in een buggy.'

'Goedemorgen mevrouw. Zou ik u wat mogen vragen?'

Mevrouw: 'Natuurlijk. Al zou ik graag willen weten waar het voor is.'

I: 'Ik maak een reportage over vakanties in Frankrijk. U bent hier met vakantie?'

M: 'Ja hoor.'

I: 'Bent u al eerder in Frankrijk geweest?'

M: 'Zeker, maar dat is al jaren geleden. Dat was in de tijd dat ik verkering had met mijn eerste man.'

I: 'O ja? Daar wist ik niets van!'

M: 'Het zou ook heel bijzonder zijn als u dat wél wist! Ik ben immers een toevallige voorbijganger!'

(giechelt) I: 'U hebt gelijk. Is er verschil tussen de vakanties van vroeger en nu?'

M: 'Vroeger gingen we ieder op een motor. We hadden een klein tentje bij ons en Jan, mijn ex, zijn gitaar. We streken neer waar we het mooi vonden. We leefden zoals men zegt "als God in Frankrijk".'

I: 'Dus u kunt motorrijden! Alweer wat nieuws!'

M: 'Of ik het nu nog kan, weet ik niet. Ik heb het in geen jaren gedaan. Maar toen vond ik het geweldig!'

I: 'U glimlacht bij de gedachte. Allemaal goede herinneringen aan die vakanties?'

M: 'Dat mag je wel zeggen. Op de laatste keer na. Toen was ik de hele tijd misselijk. Ik kon nauwelijks het stuur vasthouden.'

I: 'Hoe bent u thuisgekomen?'

M: 'Rustig rijden, iedere dag een stukje.'

I: 'Ging het niet over dan, de misselijkheid?'

M: 'Nee, het heeft een paar maanden geduurd.'

I: 'Een paar maanden misselijk! Geen wonder dat u nooit terug bent gegaan. Dat zou ik er ook niet voor over hebben.'

M: 'Maar ik had het er wel voor over, hoor. Want negen maanden na die vakantie kwam jij.'

I: 'Echt waar? O mam!'

(klapzoen)

Verrassing!

Als we thuiskomen, zit Jelle met de jongens aan tafel. Ze hebben de rest van het stokbrood opgegeten, maar wij hebben een paar nieuwe mee. En chocoladebroodjes. Daar ben ik gek op en de jongens ook.

Mama zet het eten op de picknicktafel en Jelle brengt de rest van de boodschappen naar de keuken. We zitten in de schaduw van de bomen die over de tafel hangen. In de felle zon is het nu te heet. Het enige nadeel is dat er af en toe beestjes uit de bladeren vallen, maar verder is alles heerlijk. Het samen eten, het weer, de jongens die zo smullen dat ze geen tijd hebben om te klieren.

Als alles op is, vraag ik: 'Wat gaan we vanmiddag doen?'

'Vissen!' roepen Simon, Wytse en Jelle in koor.

'Maar dat hebben jullie vanochtend ook gedaan!'

'We hebben niks gevangen. Dus we gaan nog een keer.'

'En wij dan, mam? We gaan hier toch niet de hele vakantie wachten tot ze eens een vis hebben gevangen?'

'Ik breng de kleintjes naar bed en dan ga ik lekker van het mooie weer genieten. Jij hebt vanochtend bij het water gezeten, maar ik heb het hele huis schoongemaakt. Ik heb ook vakantie, hoor.' Mama staat op. Jelle en zij nemen allebei een kind op de arm. Over haar schouder roept ze: 'Het is niet verboden de tafel op te ruimen!'

Ik kijk de jongens aan en zij mij. Dan stoot Simon Wytse aan. 'Kom mee, we gaan naar de beek.'

'Jullie moeten helpen de tafel af te ruimen,' zeg ik.

'Heb ik niks van gehoord. Jij wel, Wytse?'

Nee, die heeft natuurlijk ook niks gehoord. Terwijl de jongens naar het bos rennen, stapel ik alles op en probeer zo veel mogelijk in een keer mee te nemen. Wat moet ik straks doen? Weer naar het water? Maar ik wil niet toekijken hoe Jelle en de jongens vissen vermoorden.

Ik zit in de zandbak en verveel me. De mannen zijn aan het vissen, de tweeling is naar bed, mama ligt vlak bij me te slapen, het boek is uit haar handen gevallen. Het is een dooie boel. Zolang er wat te beleven is, mis ik Gaasterland niet, maar nu zou ik er wel naartoe willen vliegen! Ik laat het zachte, warme zand door mijn handen glijden en maak er bergjes van.

'Hé Afkeeeee!'

Wat? Ik kijk wild om me heen. Dit kan niet waar zijn!

Ik draai me om. Bij de picknicktafel staat Bibi. Struikelend over mijn benen ren ik naar haar toe en val haar om de hals. 'Hoe kan dit? Hoe kun jij hier zijn? Ben je hier alleen? Maar hoe kom je hier dan?'

Mama is intussen wakker geworden en zegt doodkalm: 'Ha Bibi, dus daar was je al.'

'Dus daar was je al?' papegaai ik. 'Hoezo, al?' Ik laat het even tot me doordringen en roep dan: 'Jullie hadden dit afgesproken! Dat menen jullie niet!' Ik zoen Bibi op beide wangen, ren naar mama en knuffel haar stevig. Dan ren ik terug naar Bibi.

'Wil je ons huis zien? Kom je bij ons logeren?'

'Nee, wij zitten op de camping, hier vlakbij. Daar achter ergens, volgens mij.' Ze wijst. 'Naast een bos. Mama heeft me net afgezet met de auto.'

'Dat is vast hetzelfde bos als achter ons huis! Geweldig!' Ik kan er niet over uit, ik heb het gevoel dat mijn gezicht bijna splijt van het lachen.

'Kom mee, naar binnen!' Ik trek Bibi mee het huis in. 'Wel stil zijn, hoor, de tweeling slaapt. In een mooi bed, prachtig! Een hemelbedbox.' Ik ratel door en breng haar eerst naar mijn slaapkamer.

'Mijn hemel, bloemen!' roept Bibi. 'Je kunt er wel stapelgek van worden.' Ze moet er vreselijk om lachen. 'En wat een stoelen en een bende. Kijk, die kast.'

'Ja, geweldig hè? Dat is een dressoir. Je kunt er een olifant in kwijt.'

'Wat zit erin?' Bibi doet een deurtje open. Wat stom dat ik daar zelf niet aan heb gedacht.

'Kleren. Moet je kijken.' Op de bovenste plank liggen truien en vesten, maar die zijn ons maten te groot. Op de onderste plank liggen witte lappen met kant. Bibi haalt er een uit. Ze hangt het breed uit. Prompt moet ik weer niezen.

'Kijk, het is een jurkje,' zegt ze. 'Helemaal wit met kant. Zou het me passen?' Ze houdt het voor zich. 'Vast wel.' Ze doet haar T-shirt uit en stapt in de jurk.

Ik wil niet achterblijven en bekijk de andere lappen. Het ene ding is ook een jurkje, een maat kleiner dan die van Bibi. Het andere ding lijkt wel een schort. Ik trek mijn bloesje uit en de jurk aan. Het schortje kan eroverheen.

'Mooi!' roept Bibi bewonderend uit. 'Het staat je echt goed. Deze kleren zijn nog mooier dan die bij ons uit de koffer. Lekker oud. Kom, we laten het je moeder zien!'

Hand in hand rennen we naar buiten. 'Mamaaa,' roep ik.

'Mamamia, kijk eens!'

'Waar hebben jullie dat gevonden?' vraagt mama.

'In het dressoir. Mooi, hè?'

Ik buig voor Bibi: 'Mag ik deze dans van u, mevrouw?'

Bibi knikt deftig en geeft me haar hand. Haar pink doet ze chique omhoog. Statig stappen we door het gras, voor zover dat gaat op blote voeten. We draaien om elkaar heen en knikken en glimlachen. Tot we beiden de slappe lach krijgen. Dan laten we ons in het hoge gras vallen.

Gedonder

Tegen etenstijd – Franse etenstijd – haalt Bibi's moeder haar weer op.

'De volgende keer kom ik bij jou,' beloof ik haar. Mijn humeur kan niet meer stuk nu ik weet dat mijn beste vriendin vlakbij kampeert.

Als we hebben gegeten, wil ik nog lang niet slapen. Het is veel te warm. Met mama doe ik buiten mens-erger-je-niet, maar als het donker begint te worden, moet ik toch naar bed. Gelukkig dat het binnen zo koel is.

Op een fijne dag als vandaag vind ik het heerlijk om in bed na te denken over alles wat er gebeurd is. Nu lukt me dat niet, want zodra ik mijn hoofd in het bloemenveld neerleg, val ik in slaap.

Ik word wakker van een verschrikkelijke dreun. In één keer zit ik rechtop. Ik kan niets zien, er is helemaal geen licht.

Ik wil van de bank af, naar mama toe. Voorzichtig, met mijn handen voor me uit, probeer ik het lichtknopje te vinden. Plotseling is er fel blauw licht. Bliksem!

Bijna direct gevolgd door weer zo'n harde klap. Ik houd me in om niet te gillen. Ik voel de deur en doe hem open. In de keuken is het ook donker. Ik tast langs de muur tot ik het knopje vind. Gelukkig, licht!

De gang is een zwart gat. Ik hoor niks. Zouden mama en Jelle dwars door het onweer heen slapen? En de jongens dan?

Het flitst! Ik ren door de gang. Thuis ben ik nooit bang voor onweer, maar hier klinkt het zo anders!

'Ben jij dat, Afke?' roept mama.

Ik doe de deur van de grote slaapkamer open. Achter mij hoor ik nog een deur opengaan.

'Bangerik!' Dat is Simon. Hij doet het licht in de gang aan. Angsthaas!

'Kom maar hier,' zegt mama.

Ik loop op het geluid af. Mama en Jelle hebben het licht uit, maar de tuindeuren wijd open, zie ik.

Als ik bij mama in bed stap, hoor ik Simon en Wytse achter mij aankomen. Zie je wel, ze zijn ook bang!

'Denk om Arnout en Marcel, die liggen tussen ons in.'

Ik ga overdwars aan mama's voeteneind liggen en kijk naar de silhouetten van de jongens bij de tuindeuren.

'Het was hier zo benauwd,' zegt mama, 'dus we hebben de deuren maar opengedaan.'

Het flitst en in één keer is de kamer blauw. Ik duik in elkaar. De donder lijkt van alle kanten te komen.

'Boem, boem!' roept Arnout.

'Boem, boem!' doet Marcel hem na.

'Kunnen de deuren dicht?' vraag ik. 'En de luiken?'

'Ha, ha, Afke is bang!' schreeuwt Simon. Maar ik hoor aan zijn stem dat hij het ook niet leuk vindt.

'Denk je dat de bliksem in de kamer komt?' vraagt Wytse. Met zijn armen wijd komt hij op me af stormen.

Op hetzelfde moment sist er een venijnige bliksemstraal vlak voor de tuindeuren, direct gevolgd door een knetterende donderslag.

Ik schreeuw: 'HOU OP!'

Simon en Wytse schieten beiden onder het bed en ik kruip nu dicht tegen mama aan. De tweeling ligt aan haar ene kant, maar aan de andere kant is nog ruimte.

Marcel begin te huilen en Arnout krijst nog harder.

'Die was raak,' zegt Jelle. 'Het licht van de gang is uit.'

Het is waar: het is plotseling pikkedonker.

'Ik zal even kijken,' zegt Jelle. Aan het kraken van het bed te horen, is hij opgestaan.

'Wat ga je doen, Jelle?'

'Naar buiten. Misschien staat de andere kant van het huis in brand, dat kunnen we hier niet zien.'

Jelle kan altijd van die lollige dingen bedenken.

Ik gluur om mama heen. Stoer van Jelle dat hij dat durft!

'Blijf nou hier, Jelle. Wat als het straks weer zo vreselijk bliksemt?'

Al zie ik niemand nu het zo donker is, het is een veilig gevoel te weten dat iedereen zo vlakbij is. Maar dat kan Jelle zeker niets schelen, want ik hoor zijn blote voeten op het zeil kletsen.

'Ik ga mee,' zegt Simon.

'Ik ook.' Wytse is blijkbaar doodsbang om hier achter te blijven.

Ik houd mijn adem in. Zal er straks weer zo'n flits komen? En zo'n klap? Buiten hoor ik nu de eerste regen vallen. Dikke druppels.

Marcel en Arnout zijn stil. Mama zegt ook niks. We wachten.

Gelukkig duurt het niet lang voor Jelle en de jongens terug zijn.

'Niks te zien,' zegt Jelle. 'Ik denk dat de stoppen zijn doorgeslagen. Dat lossen we wel op als de bui over is.'

Zijn stem komt bij de tuindeuren vandaan. 'Wat is het hier nog benauwd! Gelukkig regent het nu; dan zal het zo wel afkoelen.'

Waar zijn Simon en Wytse? Ik hoor ze niet.

Een nieuwe flits.

Nu zie ik ze, vlak bij Jelle, staan. Hij heeft zijn armen om hen heen geslagen.

Weer een donderslag, een heel harde die lang door rommelt. Dan begint het echt te regenen. Een stortbui!

'Lieve help, wat hoost het,' roept Jelle. 'Alsof de hemel in één keer is opengedraaid!'

Ik vraag me af of het dak zoveel water tegen kan houden.

'Mama?'

'Ja schat?'

'Ik wou dat we bij pake en beppe waren. Daar is het nooit zulk vreselijk weer.'

'Wat ben jij een watje,' brult Simon. Hij kan maar net boven het lawaai uit komen. 'Jij altijd met je pake en beppe. Dit is juist hartstikke spannend. Bij jouw pake en beppe gebeurt nooit wat.'

Ik zeg maar niet tegen hem dat hij zelf ook bang was. Sukkel.

'Het is super!' Wytse schreeuwt nog harder. 'Mogen we naar buiten?'

'Nee, binnen blijven!' Mama krijst over de stortbui heen. 'Jelle, doe die deuren dicht. Straks regent het naar binnen.'

'Het is hier al nat,' zegt Jelle. 'Hebben jullie een zaklantaarn meegenomen, jongens?'

'Zit nog in mijn tas.' Ik hoor Simon weggaan. 'Ik haal hem wel.'

Even later zitten we bij het licht van de lamp op het grote bed. Jelle heeft een droog T-shirt aangetrokken. Zo is het gezellig. We luisteren naar de regen en zien zo nu en dan nog een flits. Het rommelen klinkt steeds verder weg.

'Dit was kort maar heftig,' mompelt mama. 'We hebben het ergste nu wel gehad, dus jullie kunnen terug naar jullie kamers. Marcel en Arnout slapen al.'

'Even wachten,' zegt Jelle. 'Dan zoek ik de kast met stoppen.' Hij pakt de zaklantaarn en verdwijnt naar de gang.

Simon en Wytse rennen achter hem aan.

Ik wil het liefst blijven, gezellig bij mama in het grote bed. Dan kan Jelle wel op de bank slapen.

Plotseling brandt het licht weer.

'Kom Afke, terug naar je kamer,' zegt mama.

De bank is klam. Nu voel ik me alleen. Ik denk aan zo-even, toen het zo gezellig was, met z'n allen in bed. Dan val ik in slaap.

Water

Ik word wakker van een ijskoud straaltje water in mijn nek.

'KLIER!' schreeuw ik en ik sla om me heen, want dat is natuurlijk een grap van Simon of Wytse. Maar ik voel niemand. Ik zal mama om een zaklamp vragen, dit is zo onhandig.

Bah, weer een druppel. Op het puntje van mijn neus.

Ik pak op de tast mijn mp3-speler, zodat die niet nat wordt.

Buiten hoor ik de regen ruisen, hier in mijn kamer een langzaam getik. Het klinkt als druppen van een kraan. Maar ik heb hier geen kraan!

Ik sta op en schuifel in de richting van de deur, naar het lichtknopje. 'Bah! Nat!'

Waar trap ik op? Een beest? Het is zacht en nat. Ik griezel ervan. Nog langzamer ga ik verder.

Ha! Daar is het knopje. Het licht gaat aan. Meteen draai ik me om om te kijken waar ik op getrapt heb.

Een sok, zie ik, mijn eigen sok.

Maar hij is kleddernat!

Hoe kan dat?

Ik kijk verder om me heen. Ik voel aan het laken op de bank. Een natte plek. Net als de vloer waar de sok op ligt.

Waar komt dat tikken vandaan?

Ik kijk omhoog. Boven het dressoir hangt een druppel aan het plafond. Hij valt. En meteen is er weer een druppel en nog een en nog een. Op het tafeltje staat een zware, glazen asbak die ik snel onder de druppels zet.

Pets, een dikke druppel spat uiteen op mijn hoofd. Nu

pas zie ik dat er heel veel druppels aan het plafond hangen. Binnen regent het ook!

Snel ren ik naar de keuken. Ik weet dat de kastjes vol potten en schalen staan. Overal zet ik ze neer: op de vloer, op een stoel, op mijn bed, op het dressoir, er is bijna geen plekje zonder. Het tikt behoorlijk door, met allerlei verschillende klanken. Papa zou er een liedje van kunnen maken, want het is net een orkest. Een waterorkest.

Met twee schalen en een bloempot op mijn bed kan ik natuurlijk niet slapen. Wat moet ik doen? Als ik naar mama en Jelle ga, worden ze vast boos. Die willen doorslapen.

Ik ontdek dat er op de grote tafel in de keuken ook water ligt. Ik zet er een pan onder. En een eindje verderop twee schalen. Dit is te gek. Ik kijk omhoog. Bij de lamp is een donkere natte plek te zien. Dat is vast niet goed: elektriciteit en water!

Voor de tweede keer deze nacht ren ik naar de kamer van Jelle en mama. Voorzichtig open ik de deur. Jelle snurkt. Mama puft zachtjes. Ze slapen.

Ik loop om het bed naar mama's kant.

'Mama.' Zacht trek ik aan haar arm. 'Ma-am!'

'Wat is er?'

'Mijn bed is nat.'

'Hè?'

Het klinkt kwaad. Ik weet wel dat mama er slecht tegen kan als ze 's nachts op moet staan. Maar hier kan ik toch niks aan doen?

'Maham!'

'Heb je in bed geplast?'

'Nee, natuurlijk niet. Ik ben Marcel of Arnout niet! Het heeft gelekt.'

Mama hijst zich op tot ze op de rand van het bed zit. Ze steekt haar voeten in haar sloffen.

'Jakkes! Ze zijn nat!'

'Dan heeft het hier ook gelekt.'

Mama kreunt. Ze geeft Jelle een por. 'Jelle, het lekt. Overal! Mijn sloffen zijn zeiknat en Afke is haar bed uitgespoeld.'

Ik denk wel eens dat ik kan overdrijven, maar dat is nog niets vergeleken bij mama.

'Wat is er nou weer?' Jelles stem klinkt ook al zo vrolijk. 'Ik wil slapen!'

'Dat willen Afke en ik ook. We moeten eerst een droog plekje voor Afke vinden.'

Mama slaat haar arm om me heen en samen lopen we door de gang naar de keuken.

'Er zit ook water vlak bij de lamp. Kijk maar.' Ik wijs.

Mama bekijkt het slagveld in de keuken. Met potten en schalen op de tafel.

'Lieve help!' Ze slaat haar hand voor haar mond.

Jelle is ons achterna gekomen. 'Ach, het is maar water.'

Dat had hij niet moeten zeggen. Mama begint hem vreselijk uit te schelden.

Ik trek aan haar mouw en zeg: 'Mam, ik wil slapen.'

'Ach lieverd, je hebt gelijk. Bekvechten kan morgen ook nog. Jelle, kijk eens in Afkes kamer. Haal de lakens die droog zijn maar van de bank.'

Jelle loopt met een zuur gezicht naar mijn kamer. Al snel komt hij terug.

'En?' vraagt mama.

'Alles nat of vochtig.'

'Dan kun je kiezen, Afke: slapen bij Arnout en Marcel of bij ons.'

Vreselijk, daar moet je toch niet aan denken om tussen mama en Jelle in te liggen!

'Ik kruip wel bij de tweeling in bed.' Je moet toch wat.

Mama knuffelt me. 'Morgen bedenken we er iets op.'

Voorzichtig doet ze de deur open zodat het licht van de gang in de kamer valt. Mijn broertjes slapen samen aan het voeteneind.

'Kijk, ruimte genoeg voor jou.'

Mama doet het hek een eindje naar beneden zodat ik erbij kan kruipen. Ze aait over mijn hoofd en gaat terug naar haar slaapkamer.

Hoe moe ik ook ben, slapen kan ik niet. Buiten regent het nog steeds.

Hoe zou het op de camping zijn als het zo onweert en regent? Zou Bibi's tent zo veel water kunnen verdragen? Morgen ga ik kijken. Als ze maar niet terug naar Nederland gaan.

Hoewel, ze zijn allemaal stoer, bij Bibi thuis.

Mijn kleine broertjes ademen diep en regelmatig. Ik word er rustig van en val toch in slaap.

Corvee

Arnout en Marcel zijn al uit bed als ik 's morgens wakker word. Buiten is het lekker fris. De zon schijnt weer alsof er niets is gebeurd; op het natte gras na wijst niets erop dat er vannacht zo veel regen is gevallen. Daarom ontbijten we weer heerlijk buiten.

Toch kun je merken dat we allemaal te weinig slaap hebben gehad. Als ik lekkere hompen stokbrood afscheur en dik besmeer met margarine en jam, moppert Jelle: 'Die pot hoeft niet in één dag leeg. Je moet maar afwachten hoe de Franse jam smaakt.'

'Vast lekker,' zeg ik.

Wytse en Simon zitten naast elkaar op de bank. Simon pikt de margarine van Wytses mes en die doet prompt hetzelfde met de pindakaas van Simon. Die geeft Wytse weer een stomp, zodat Wytse alles uit zijn handen laat vallen. Vechtend duiken ze onder de tafel.

'Blijf van elkaar af!' roept mama. 'Ik word gek van jullie. Altijd zitten jullie aan elkaar.'

'Ach, zo zijn jongens,' mompelt Jelle. 'Meiden bekken elkaar af.'

'Had je maar niet met papa moeten trouwen,' schreeuwt Simon.

'Hou je mond.' Jelle vist de jongens omhoog en duwt ze terug op de bank. 'Zitten en eten!'

Jelle kan veel van zijn zoons hebben, maar over mama mogen ze niets zeggen.

'Wat gaan we straks doen?' vraagt mama.

'Vissen!' brullen de jongens.

Jelle glimlacht. 'Je hoort het.'

'Ik hoor het, ja. En die natte troep, binnen?'

'Dat droogt vanzelf weer op, denk je niet?'

'Nee, dat denk ik niet. En er moeten ook nog boodschappen worden gedaan.'

'Dan doen wij de boodschappen en maken jij en Afke het huis schoon.'

Mama's ogen doen niet onder voor de bliksem van vannacht. 'Jelle de Vries.' Haar stem is laag. 'Je moet één ding goed begrijpen. We zijn hier met z'n zevenen op vakantie. Dat betekent dat we ook met z'n allen de bende opruimen. Gisteren heb ik het grootste deel gestoft en gezogen, vandaag ben jij aan de beurt. En Simon en Wytse kunnen best een handje helpen. Ik doe met Afke de boodschappen en bel met de huisbaas dat hij iets aan die lekkage moet doen, en in die tijd brengen jullie alles wat nat is naar buiten. Zodat iedereen, inclusief Afke, vannacht droog kan slapen.'

'Maar als die man dan komt? Ik spreek geen woord Frans!'

'Dan laat je hem die potten, pannen en schalen met water maar zien, dat is duidelijk genoeg. Afgesproken?'

Jelle knikt.

'En hebben jullie het ook begrepen?' Mama kijkt Simon en Wytse streng aan. Die mompelen iets onduidelijks.

'BEGREPEN?' buldert Jelle.

'Jaha. Maak je niet zo druk, man.'

Simon loopt bij de tafel weg en geeft een trap tegen een bal die voor zijn voeten ligt. Wytse propt snel een paar stukken stokbrood in zijn mond en wil zijn broer volgen.

Jelle houdt hem tegen. 'Laat hem maar. Soms moet hij even alleen zijn.'

Als Simon zijn moeder mist, geeft hij mama een grote mond. Maar die blijft er altijd kalm onder.

Ik baal, ik wil naar Bibi. Gisteren heb ik ook al boodschappen gedaan. Maar als ik er iets van zeg, moet ik Jelle en de jongens natuurlijk helpen. Ik besluit om er straks tussenuit te piepen.

'Dat is dan afgesproken,' zegt mama. 'Kom op, we nemen allemaal wat mee naar de keuken en dan kunnen Afke, Arnout, Marcel en ik naar het dorp om boodschappen te doen.'

Voor we vertrekken moet mama natuurlijk nog een lijstje maken. Dat duurt mij veel te lang. Ik sluip het huis uit om naar Bibi te gaan. Ik ben zo benieuwd hoe zij de nacht is doorgekomen!

Bij Bibi

Toen Bibi gisteren bij ons was, had haar moeder haar met de auto gebracht. Ik besluit de korte route door het bos te nemen, zodat mama me niet vindt. Onderweg spreek ik een stukje voor papa in.

Hoi pap,

Ik ga nu naar Bibi. Die zit met de hele familie op de camping naast ons bos. Dat had ze afgesproken met mama. Leuk, hè?

Vannacht heeft het ontzettend geregend. Ik ben mijn bed bijna uitgespoeld en heb bij Arnout en Marcel in bed geslapen. Nu ga ik kijken hoe het bij Bibi is.

In het bos is te zien dat het erg heeft geregend. Alle takken en bladeren waar nog druppels aan hangen, glinsteren in de zon. Ik word er nat van, maar dat kan me niks schelen. De zon droogt straks toch alles op.

Als ik bij de beek ben, vraag ik me af of ik die links- of rechtsaf moet volgen. Ik kies voor rechts, want volgens mij wees Bibi die kant uit toen ze erover vertelde.

In de verte hoor ik mama gillen: 'Afke, Aaaaafkeeeee!' Ik sluit mijn oren en geniet van alles wat ik zie en ruik en hoor. Op mama na dan. Ik houd nu eenmaal van bos. En de beek maakt het allemaal nog fijner. Je zou het moeten zien, pap!

Zoekend kijk ik of het stroompje ergens smaller wordt, zodat ik naar de overkant kan komen. Want daar moet de camping zijn. Ik loop door tot het bos ophoudt voor een hek met prikkeldraad. Daarachter zie ik struiken en een enkele boom. Ik hoor er mensen praten en kinderen gillen. Ja hoor, ik zit goed, al loop ik nog steeds aan de verkeerde kant van het beekje. Later vertel ik je meer, nu moet ik de beek oversteken. Kusjes!

Het apparaatje stop ik in mijn zak omdat ik alle aandacht voor de beek nodig heb. Ha, daar zie ik planken liggen, schots en scheef over de keien. Ik trek mijn schoenen uit en stap er voorzichtig op. Natuurlijk stap ik halverwege mis en beland tot mijn knieën in het water. Brrrr, echt koud! Nog meer op mijn hoede bereik ik ten slotte de overkant. Daar trek ik mijn schoenen weer aan, want al zijn mijn voeten nat, er liggen te veel stenen om op blote voeten verder te gaan.

Aan het eind van het prikkeldraad is een houten hekje naar de camping. Dat doe ik open. Ja, daar. Ik hoor Nederlands! Schreeuwende jongens. Volgens mij zijn dat de stemmen van Louis, Joep en Rolf, de broers van Bibi. Die drie zijn altijd bezig met ballen. Als ik het veldje op loop, krijg ik er meteen één tegen mijn hoofd.

'Hé sukkel,' schreeuwt een van hen. 'Kun je die bal niet tegenhouden?'

'Natuurlijk niet,' brult een andere. 'Het is een meisje, dat zie je toch? Hé, het is Afke! Bibiiii!'

Op het veldje staat een heel grote tent met ernaast twee kleinere. Bibi komt met haar vader en moeder uit de megatent, die een groot deel van het veldje vult.

'Afke! Zie je wel, mam, daar is ze al.' Bibi rent op me af, slaat haar armen om me heen en fluistert: 'Je moeder belde net. Ze is woest!'

Ik haal mijn schouders op. Jammer dan, ik ben nu hier. 'Ha Mamilou,' zeg ik tegen Bibi's moeder, die me knuffelt. 'Dag Papilou.'

'Zo meid. Was je gevlogen?'

'Ja. Ik moet iedere dag boodschappen doen met mama. '

'Vreselijk, dat is ook een ramp,' zegt Bibi's vader meelevend. Maar hij meent er niks van, dat zie ik aan zijn ogen.

'Ik wil wel graag dat je je moeder even opbelt,' zegt Mamilou. 'Anders blijft ze ongerust.'

'Ik heb mijn mobiel niet mee. Een is genoeg, vond mama.'

Mamilou kijkt streng. 'Maar ik heb er wel een. Asjeblieft.'

Een eindje verderop ga ik staan bellen. Ze hoeven niet te horen hoe kwaad mama is. Mama kan zo schreeuwen dat je bijna geen telefoon meer nodig hebt!

Ik laat haar uitrazen en zeg alleen 'ja mam' en 'nee mam', want dan duurt het niet zo lang. Aan het einde van haar preek zegt ze dat ze me ophaalt als ze de boodschappen heeft gedaan.

'Goed mam.'

Ik geef de mobiel terug aan Mamilou en zeg tegen Bibi: 'Nu wil ik alles zien.'

Bibi neemt me mee naar de receptie en het winkeltje ernaast, naar het zwembad dat zo vol is dat je nauwelijks het water ziet en dan weer terug naar hun veldje.

'Waar zijn je andere broers?' vraag ik.

'Met de auto weg. Pieter en Richard zijn echte stuudjes en gek op kerken en musea. Ze hebben thuis alle bezienswaardigheden al opgezocht. En Joost gaat mee voor de gezelligheid. Hij heeft heimwee en als hij onderweg is, dan voelt hij het niet zo erg.'

'Waar zijn Simon en Wytse?' wil Rolf weten. Hij is net zo oud als Simon en ze zitten bij elkaar in de klas.

'Ze moeten het huis schoonmaken met Jelle,' vertel ik. 'Vannacht heeft het binnen net zo hard geregend als buiten. Maar als ze klaar zijn, gaan ze vast terug naar de beek om te vissen.'

'Waar is die beek?' wil Louis weten. 'Ik wil ook vissen.'

Ik wijs hen de weg en de drie jongens stormen meteen naar het bosje en de beek.

'Hè, lekker,' zegt Mamilou. 'Rust. Willen jullie wat drinken?'

Met onze bekers ranja gaan Bibi en ik op het gras liggen. Voor zover je het gras kunt noemen, want het is bijna allemaal dor en bruin.

'Als het vannacht weer regent, kom je maar bij mij,' zegt Bibi. 'Gezellig. Papa en mama liggen samen met mij in de grote tent. Zij liggen aan de linkerkant, ik rechts. En de jongens liggen in de andere twee tenten, drie in de ene en drie in de andere. Omdat ze 's nachts heel lang liggen te keten. Wil je het zien?'

We gluren in de tent van Louis, Joep en Rolf, waar het een vreselijke bende is. Ik zie ballen in alle soorten en maten. Dan gaan we naar de andere. Die is heel netjes opgeruimd. Er liggen hoogstens wat boeken en folders, netjes langs de zijkanten. 'De tent van de nerds,' zegt Bibi. Ze kruipt naar binnen en laat me een potje zien. 'Van Richard,' zegt ze. 'Dat is zijn nachtcrème. Tegen de puisten, denkt hij. Dan ziet hij er zo uit.' Ze draait het potje open en doopt haar wijsvinger in de zalf om stippen op haar gezicht te maken. Ze gluurt in de handspiegel die naast de toilettas ligt en schaterlacht. 'Nu heb ik wittehond!'

'Doe je dat ook als Richard erbij is?' vraag ik. Ik kan me niet voorstellen dat ik ooit zoiets bij Simon zou doen. Of is dat het verschil tussen een echte broer en een broer die je er zomaar bij hebt gekregen?

'We plagen hem er allemaal mee,' zegt Bibi. 'Al is het minder geworden sinds hij een vriendinnetje heeft. Toen ze kwam kennismaken, zeiden we: "Dan kijkt er toch iemand om de puisten heen." Wie hier niet tegen plagen kan, zit in de verkeerde familie. Trouwens, plagen is geen pesten.'

'En klieren dan?'

'Je moet je niks van Simon en Wytse aantrekken.' Ze weet onmiddellijk waar ik op doel. 'Ik ben niet anders gewend. Maar ik weet ook dat mijn broers altijd voor me op zullen komen, wat ze soms ook over en tegen me zeggen. Niemand mag hun zusje pesten! Kom mee, dan gaan we jeu de boulen. Er ligt een echte baan vlak bij de receptie.'

Met onze handen vol kleurige plastic ballen vertrekken we naar de receptie. Als we drie potjes later terugkomen, zit mama gezellig koffie te drinken met Bibi's ouders. Arnout en Marcel spelen in het gras. Gelukkig, denk ik, nu is het gedoe met mama ook weer opgelost.

Mama is boos

Natuurlijk is het niet opgelost. Als we van de camping wegrijden begint mama meteen te preken. Dat ik mijn aandeel moet hebben in de corvee. Dat ik niet zomaar weg kan lopen als me dat toevallig beter uitkomt.

'Wees maar blij,' zeg ik. 'Eerst vond ik deze vakantie niks en nu heb ik het naar mijn zin. Mooi toch?'

Mijn goede humeur is in een klap weg. Het wordt nog erger als we de oprijlaan oprijden en voor het huis stoppen.

'Ik had verwacht dat het hier een en al bedrijvigheid zou zijn,' zegt mama.

'Misschien zijn ze al klaar,' opper ik.

'Niet als ze het goed doen.' Mama kijkt zo chagrijnig dat ik Jelle en de jongens niet benijd. De preek die hen staat te wachten is vast langer dan die van mij. Ik stap uit de bus en ren naar de achterkant van het huis. De lakens en dekens van de bedden zijn slordig over de waslijnen gekwakt.

'Afke!' gilt mama en ik hol weer naar de voorkant van het huis. Daar staat mama met haar armen vol tassen, terwijl Arnout en Marcel in de auto om het hardst huilen.

'Heb je Jelle of de jongens ook gezien?' vraagt mama.

'Nee. Ze hebben de lakens en de dekens over de waslijn gesmeten en zijn ervandoor gegaan. Ze zullen wel weer aan het vissen zijn.'

Mama en ik lopen het huis in. Het is er nog net zo'n bende als toen we weggingen. Met als enige verschil dat al het beddengoed van de bedden is gehaald. Jelle en de jongens zijn nergens te vinden.

Mama stampt scheldend door het huis en moppert aan één stuk door. 'Het lijkt wel of hier maar drie mensen lol mogen hebben. Stelletje kleuters, bah! Ik heb blijkbaar niet twee kleine jongens, maar vijf. En de grootste is de kleinste! Als Jelle eenmaal een hengel in zijn handen heeft, vergeet hij alles om zich heen!'

Ze loopt terug en haalt Arnout uit zijn zitje. 'Kom schat. Afke, neem jij hem over? Dan pak ik Marcel.'

'Akke, Akke,' roept Arnout blij. Ja Arnout, je bent lief. Nu mama nog.

'Zal ik Jelle halen?' Een geweldig idee vind ik zelf, dan ben ik hier tenminste weg.

'Jelle en de jongens komen vanzelf terug als ze honger krijgen,' zegt mama.

Terwijl zij de boodschappen naar de keuken brengt, houd ik Arnout en Marcel in de gaten. Die zitten in de zandbak.

'Ruik je dat stokbrood?' Mama snuift diep de geur op. 'Er is niks zo lekker als vers stokbrood met Franse kaas.'

'Of met jam,' zeg ik. Ineens heb ik een verschrikkelijke honger. 'Zal ik buiten dekken?'

Even later zitten we met z'n vieren buiten in de zon van de verse stokbroden te smullen.

'Nu hoef ik voorlopig niets meer,' zegt mama. Ze nestelt zich in een luie stoel en doet haar ogen dicht. Ik zit me op de rand van de zandbak rot te vervelen.

Tot ik bedenk dat ik wel een stukje kan inspreken voor papa. Ik zoek een plekje in de schaduw van het huis, waar het kirren en kraaien van Arnout en Marcel niet te horen is.

Lieve papa,
Ik had je toch verteld dat Bibi hier om de hoek kampeert? Ze hebben een enorme tent, en daarnaast staan nog twee kleine voor de jongens.

Van Bibi leer ik hoe ik met Simon en Wytse om moet gaan. Zij heeft tenslotte zes broers.

In het begin, toen jij het servies had stukgesmeten en mama je gitaar vernielde, was ik blij dat je weg was. Omdat mama en jij zo veel ruzie hadden. Toen Jelle en de jongens bij ons kwamen wonen, was het net een lange logeerpartij. We deden allemaal beleefd tegen elkaar, alsof het maar een paar weken zou duren. Maar mama's buik werd dikker en dikker en ik snapte ook wel dat ze niet meer weg zouden gaan. Ik wilde niet dat mama last van ons had. De jongens werden beleefd na de nodige preken van Jelle. Pas toen Arnout en Marcel waren geboren en we maanden van kraamvisite achter de rug hadden, van opzitten en pootjes geven, kregen Simon, Wytse en ik door dat het echt voor altijd zou zijn. Dat we één grote familie zouden zijn. Vanaf die tijd was het twee tegen een. Ik voelde me alleen. Wat heb ik vaak gewenst dat jij en mama nog een meisje hadden gekregen, dat ik een zusje had gehad. Maar zo was het niet, ik was alleen en ben het nog. Thuis tenminste. Want natuurlijk heb ik Bibi. Dag pap!

Uitje

Als Jelle en de jongens eindelijk thuiskomen, ontploft mama. Simon wil protesteren maar Jelle pakt hem bij zijn bovenarm zodat hij zwijgt. Ze krijgen nog de kans om wat te eten maar dan dirigeert mama het stel naar binnen om daar alles op te ruimen en schoon te maken. Ik moet mijn eigen kamer netjes maken.

Nadat mama alles heeft goedgekeurd, gaan we naar de auto. Ik mag weer tussen mama en Jelle in zitten omdat het overdag is. Ik denk dat ze het zelf ook best vinden, want ze zijn allebei chagrijnig en kijken elkaar niet aan. Gezellig!

Eerst rijden we naar de huisbaas. Die is nog steeds niet langsgekomen.

'Jij doet het woord maar,' zegt Jelle als we bij het huis aankomen waar volgens mama de eigenaar moet wonen.

'Ik had niets anders verwacht,' snauwt mama.

Fijn sfeertje!

We zien hoe mama aanbelt. Een broodmager ventje doet de deur open. Hij heeft een miezerig snorretje op zijn bovenlip. Mama is bijna een half hoofd groter.

Ze houdt een heel verhaal en gebaart zo wild dat het kereltje achteruitdeinst. Even later komt mama terug. Het lijkt alsof ze weer een beetje kan lachen.

'Zo, dat was duidelijk,' zegt ze. 'Als we vanavond thuiskomen, zijn de lekkages verholpen. Zo niet, dan slapen we vannacht in een hotel. De man verbleekte bij mijn voorstel, dus ik neem aan dat hij zijn best doet om alles in orde te krijgen. Anders kost het hem centen.'

Mama gaat weer zitten en wendt zich tot Jelle. 'Waar gaan we heen?'

Zijn slechte humeur is nog niet over. Hij haalt zijn schouders op en mompelt: 'Weet ik veel? Jij hebt toch boekjes bij je waarin staat wat hier te zien is?'

'Denk je dat ik daar tijd voor heb gehad? Ach, wat maakt het uit. We gaan de kant van de blauwe lucht op. Kijk daar.'

We rijden.

Jelle en mama zwijgen.

De tweeling slaapt waarschijnlijk, want ze zijn stil.

De grote jongens zitten te fluisteren op de achterbank.

Ik kijk mijn ogen uit. Het is hier zo mooi! We tuffen over smalle kronkelweggetjes, tussen maïs- en zonnebloemvelden door. Al die velden zijn enorm. Wat is alles in Nederland dan klein.

Als we door een stadje rijden, zegt mama: 'Hier kunnen we er wel even uit. Het is markt, gezellig.'

Terwijl mama en Jelle nog bezig zijn iedereen uit te laden, de buggy klaar te maken en tweeling erin te stoppen, ben ik de markt al opgegaan. Ik sta bij een stalletje met heel veel kralenkettinkjes en armbanden, oorbellen en andere spulletjes die je van kralen kunt maken. Zou beppe zoiets leuk vinden? Zo'n tasje dat helemaal van kraaltjes is gemaakt? Het lijkt ouderwets maar is het niet. Ik kijk om me heen of mama in de buurt is, maar ik zie niemand. Bij de auto is iedereen weg. Ze zullen toch niet zonder mij dit stadje in gelopen zijn? Ik doe een stap achteruit om beter te kunnen kijken.

'Boe!' roepen Simon en Wytse tegelijk terwijl ze achter een andere kraam tevoorschijn springen. Ze roepen het zo hard dat ik van schrik bijna omval. Daar moeten ze natuurlijk vreselijk om lachen.

'Je hebt een slecht geweten!' roept Wytse.

'Of wou je net een paar kettinkjes achteroverdrukken?' brult Simon.

Ik weet dat ik mijn mond moet houden, niet moet reageren, want dan vinden ze het niet leuk meer, heeft Bibi gezegd. Ontzettend moeilijk is dat!

Ik draai me om en doe alsof ik ze niet ken. Ik loop, nee, ik schrijd met mijn neus in de lucht langs de buitenkant van de markt, want ik wil hen niet vragen waar mama is. Hoe naar en alleen ik me ook voel, ze zullen er niks van merken, al springen ze als idioten achter me aan.

'Daar ben je!' zegt mama als ik een nieuw pad tussen de kramen in sla. Ik moet haar even knuffelen, blij dat ik haar weer zie.

Lang duurt het uitstapje niet. Als we op een terrasje zitten, komen er donkere wolken aandrijven. 'Opschieten, jongens,' zegt mama. 'Ik wil terug. Straks zijn alle dekens nat, dan zijn we nog verder van huis.'

'Dat moeten we niet hebben, want we zijn al zo ver van huis,' zegt Jelle in een poging grappig te doen. Niet dat het iets helpt, mama is niet aan het lachen te krijgen. Al de hele dag heeft ze nauwelijks geglimlacht. Ik weet niet wat er met haar aan de hand is, maar zo heb ik haar nog nooit meegemaakt. Zelfs niet toen ze altijd ruzie had met papa.

Vanavond ga ik een stukje inspreken voor pap. Soms, als je de dingen die moeilijk zijn hardop zegt, weet je ineens het antwoord. Daar hoop ik dan maar op.

Wat is er met mama?

We zijn te laat, de regen heeft zijn werk gedaan. Alles wat buiten hangt is nat. Mama is woest. Ze rent naar de waslijnen en grist de lakens eraf.

Met mannenstappen beent ze naar het huis.

'Hoe is het binnen?' vraagt ze. 'Is die vent al geweest? Lekt het nog ergens?'

Gelukkig niet. Al is nergens aan te zien dat de eigenaar langs is geweest.

'Maakt me niet uit,' zegt mama. 'Ik ga toch terug met de natte lakens. Die worden zo echt niet meer droog. Hij stopt ze maar in de droger of geeft me nieuwe.' Voordat Jelle of wie dan ook kan reageren is ze alweer vertrokken. Jelle brengt de kleintjes, die moe bij Simon en Wytse op schoot hangen, naar bed. We blijven met z'n drieën over.

Ik schaam me voor mijn moeder die zo raar doet. Het is akelig stil. Tot Simon aan Wytse vraagt: 'Ga je mee naar onze kamer?'

In mijn eentje is er niks aan dus ga ik ook naar mijn kamer. Gezellig, tussen de bloemen.

Lieve papa,

Ik weet wel dat mama en jij nooit over elkaar praten, maar met wie moet ik het dan over haar hebben? Bovendien zeg jij niks terug. Nu niet tenminste.

Het zit zo: het gaat niet goed met mama. Ze schreeuwt en scheldt en iedereen heeft het gedaan. Alles is verkeerd, niemand doet iets goed en niets deugt.

Als ik alleen met haar ben en ze denkt dat ik zit te lezen, dan kijkt ze verdrietig. Ik weet dat Jelle met haar praat, dat hij probeert los te peuteren wat haar dwarszit. Gisteren stonden ze met de armen om elkaar heen te smoezen in de keuken. Ik hoorde mama zeggen: 'Nee, er is niks, echt niet.' Maar dat is niet waar.

Hoe krijg ik mama aan het lachen, pap? Wat is er met haar aan de hand?

Kusjes, Afke

Ik ben snel uitgepraat. Niet gek eigenlijk, als papa niks terug zegt.

Aan de andere kant van de deur hoor ik de stemmen van mama en Jelle. Even later hoor ik ook het starten van de bus. Ik ga naar de keuken. Jelle zit bij de tafel te lezen.

'Is mama alweer weg?' vraag ik, alsof ik niets gehoord heb.

Hij knikt en kijkt moe. Misschien vindt hij er ook niks aan als mama zo doet.

Toch durf ik hem niet te vragen wat er met haar is.

Beppe zegt altijd: 'Het zal wel overgaan voordat je een oud vrouwtje bent.' Daar hoop ik maar op. Dat het over-gaat. Voordat máma een oud vrouwtje is natuurlijk.

Het kasteel

Vandaag gaan we een dagtocht maken. Mama en Jelle smeren stokbroden en maken flessen drinken klaar.

Wij, Simon, Wytse en ik, voetballen op het veldje voor het huis tot we in de bus kunnen stappen. Iedereen doet zijn best om het mama naar de zin te maken. We merken allemaal dat we lief voor haar moeten zijn.

Als mama en Jelle de tassen klaar hebben, stapt de hele familie in. Jelle kijkt op de kaart, mama rijdt. Eerst gaat alles goed, want Jelle ziet precies waar we zijn. Ze hebben zeker een route uitgestippeld, want hij noemt voortdurend de plaatsen waar we doorheen rijden en zegt steeds dat we goed zitten. Tot mama bij een kruising vraagt: 'Wat moeten we nou?'

'Doe maar rechtsaf,' zegt Jelle snel. Maar algauw blijkt dat hij nu geen idee meer heeft waar we zijn.

'Laat maar,' zegt mama. 'Dan toeren we zo toch wat? Het is overal mooi.'

'We zouden naar een kasteel,' sputtert Jelle tegen.

'Leuk,' roepen de jongens. 'Zijn er ook harnassen en zwaarden?'

'Kijk maar of jullie een kasteel zien,' zegt Jelle. Vanaf dat moment kijken we allemaal goed om ons heen. We rijden uren. Zo lijkt het tenminste. Het wordt warm in de bus, zo tussen mama en Jelle in.

'We gaan eerst wat drinken,' beslist mama. 'Ik zoek wel een parkeerplaats op.'

'Daar! Een kasteel!' roept Wytse. 'Dat moet het zijn!'

Mama slaat meteen een weggetje in dat ons naar het kasteel moet brengen. Op een parkeerplaats met oude, hoge bomen parkeert ze de bus. Wij rollen er aan alle kanten uit.

Er staan behoorlijk veel auto's van mensen die het kasteel ook willen bekijken. Terwijl mama de tweeling in de buggy zet, zoeken Simon en Wytse stokken en beginnen een zwaardgevecht. Ze willen in de richting van het kasteel rennen, maar de zware stem van Jelle houdt hen tegen. Als een normaal gezin wandelen we even later over de grote oprijlaan. Simon en Wytse gaan voorop, dan komt mama met Arnout en Marcel. Jelle en ik lopen achteraan.

Het is een groot, oud kasteel. De muren zijn ontzettend dik!

Simon, Wytse, Jelle en ik gaan met een gids mee het kasteel in, mama blijft buiten met de tweeling. Het is niet handig om met de buggy naar binnen te gaan, zegt ze.

De gids vertelt van alles, eerst in het Frans, dan in het Engels. Ik versta er niks van en begin me na een poosje te vervelen. Ik vind het veel fijner om zelf verhalen te bedenken. Hoe de mensen hier vroeger leefden, hoe ridders met rinkelende harnassen op hun paarden probeerden te klimmen. Dat viel vast niet mee. In gedachten zie ik jonkvrouwen in prachtige jurken.

'Zal ik mama even aflossen?' vraag ik Jelle.

Ze zit in het gras met Arnout en Marcel. Ik ren op haar af. 'Ik heb wel genoeg gezien,' zeg ik. 'Wil jij nu even kijken?'

'Lief van je,' zegt ze. 'Hier heb je wat drinken.'

Ik kijk haar na als ze naar het kasteel wandelt en bedenk dat ik hartstikke veel van haar houd. Al schreeuwt ze soms wat veel.

Arnout en Marcel spelen tevreden om me heen. Af en toe drink ik wat vruchtensap. Ik merk dat ik slaperig word van de warmte en ga even languit in het gras liggen. Mijn mp3-speler heb ik bij me. Straks, na het luieren, vertel ik papa alles over vandaag.

Lieve pap,

Ik ben helemaal in de war. Ik heb iets raars meegemaakt. Ik zal het proberen te vertellen zoals het is gebeurd.

Misschien was ik even in slaap gevallen. In elk geval schrok ik van een schaduw die over me heen viel. Tegen de zon in keek ik wie daar stond, maar ik zag het niet meteen. Ik dacht dat het Simon wel zou zijn.

'Ga weg, klier,' zei ik. 'Ik lig net zo lekker.'

Een zware mannenstem begon tegen mij te brabbelen.

Het was een totaal onbekende man. Snel ging ik rechtop zitten en keek om me heen. Arnout en Marcel speelden vlak bij me. Gelukkig!

Omdat de man weer wat tegen me zei, stond ik op.

'Ik versta geen Frans,' zei ik. Met mijn handen maakte ik duidelijk dat ik er niets van begreep.

De man wees in de richting van de parkeerplaatsen. Wilde hij dat ik daarheen ging?

'Nee,' reageerde ik hoofdschuddend. 'Ik ga niet met u mee. Ik moet op mijn broertjes passen.'

Ik wees naar de tweeling. Meteen zette hij een stap in de richting van Marcel en wilde hem optillen. Wat een rare kerel! Wat wilde hij toch?

Ik ging voor Marcel staan en zei weer hoofdschuddend: 'Nee, nee.'

De man hield een heel verhaal. Ik snapte dat het om mij ging. Misschien wilde hij me wat laten zien?

Nooit met vreemde mannen meegaan, Afke, hoorde ik jou in gedachten zeggen.

Ik keek weer om me heen. Was mama hier maar!

Op dat moment kwamen Simon en Wytse aanstormen.

Simon riep vanuit de verte: 'Hé, blijf van ons zusje af!'

Wytse schreeuwde nog harder: 'Als je aan onze zus komt, maken we je af!'

Mensen in de buurt keken op.

De man werd rood. Hij schoot snel weg toen Simon en Wytse bijna bij ons waren.

84

'Stomme muts, wat moest die vent van jou?' vroeg Simon, die zich hijgend in het gras liet vallen.

'Niets,' zei ik. Ik ging tussen Arnout en Marcel in zitten.

Wat was er gebeurd? Wat wilde die man?

Toen de jongens mij vragend aankeken, zei ik: 'Ik weet het niet.'

Raar, pap, het was warm, dat voelde ik wel. En toch kreeg ik kippenvel. Ik slikte een paar maal en herhaalde: 'Ik weet het niet.'

'Je weet toch dat je niet met vreemden mag praten?' Wytse blèrde alsof ik honderd meter verderop stond.

'Hij sprak mij aan.' Mijn stem klonk vreemd. Brokkelig.

'Wat is hier aan de hand?' Daar waren mama en Jelle, met de armen om elkaar heen.

'Die sukkel begint tegen een wildvreemde kerel te praten!' Simon stond weer op en liep naar Jelle.

'Dat is niet waar!'

Ik kon er niets aan doen, pap, maar ineens moest ik huilen. Ik had ontzettend de pest aan mezelf.

'Wat is dit nou?' Mama streelde over mijn haar. Simon en Wytse schreeuwden door elkaar heen hoe stom ik was en ik huilde nog harder.

'Kom maar,' zei mama en ze nam me bij de hand. We liepen naar een bank.

Toen ik zat, begon ik te trillen. 'Er was een man en die... en die...'

Ik vroeg me weer af wat de bedoeling van de man was geweest. Ik kon hem immers niet verstaan en er was niets gebeurd.

Toen hoorde ik in gedachten Simon roepen: 'Blijf van ons zusje af!' En Wytse: 'Als je aan ons zusje komt, dan...'

'Ze zeiden "ons zusje",' mompelde ik.

Ik keek mama aan en zei: 'Er is niets gebeurd, mam. Wat die man wilde, weet ik eigenlijk niet, maar Simon en Wytse hebben hem weggejaagd.'

Mama glimlachte en zei: 'Handig hè, grote broers.'

Ik huiverde in de warmte en mama knuffelde me.

Weet je pap, het is nu al avond en we zijn weer thuis, maar ik moet er steeds aan denken. Dat ik een zusje ben en dat ik twee grote broers heb. En twee kleintjes natuurlijk, maar dat wist ik al.

Twee grote broers, en die heb ik al drie jaar! Niet zo lang als Bibi, maar toch. Gek dat ik dat nu pas besef. Bibi zei al dat haar broers het altijd voor haar opnemen, dat niemand van de klas haar durft te pesten. Nu blijkt dat Simon en Wytse net zo zijn. Ze laten het alleen nooit merken.

Toch wilde ik dat je hier was, dan kon je even je armen om me heen slaan.

Wanneer bel je, pap? Je hebt mama's telefoonnummer toch?

Storm

De volgende dag wil ik naar Bibi om haar alles te vertellen. Waar heb je anders een beste vriendin voor?

Mama doet weer moeilijk. Jelle, Simon en Wytse zijn al vroeg naar de beek vertrokken om te vissen en wij hebben de boodschappen gedaan met de kleintjes. Nu zitten we buiten wat te drinken.

Het kriebelt in me om weg te gaan, maar mama ziet er zo alleen uit. Ik kan het niet meer laten en vraag: 'Wat is er met je, mam? Je bent zo eh... niet blij!' Het is natuurlijk veel erger dan niet blij, maar dat zeg ik liever niet.

'Hoe bedoel je?' vraagt mama. Ze wordt rood tot in haar nek. Ik besluit mijn mond te houden en haar alleen maar aan te kijken.

'Er is niks,' zegt ze. Ze draait zich om en loopt weg naar het huis. Ik vind dat ik nu wel genoeg mijn best heb gedaan en roep haar achterna: 'Ik ga naar Bibi, hoor!'

Ik hol in de richting van het bos, maar ik neem een andere route dan gisteren. Deze keer wil ik kijken of er misschien regelrecht een pad naar de camping gaat. Dan hoef ik niet weer over de keien in de beek te lopen.

Als ik het gevoel heb dat ik de camping ver voorbij ben, zie ik een pad dat het bos in gaat. Het is vreselijk heet tussen de bomen, het voelt alsof mijn wangen huilen van het zweet. Omdat ik snel ben weggegaan, ben ik mijn zwemspullen vergeten. Hopelijk heeft Bibi een extra bikini.

Maar het vreemdst is de stilte. De vorige keren hoorde ik Bibi's broers vanuit de verte schreeuwen. Nu niet. De bomen ritselen niet en zelfs de vogels hebben het te warm om te zingen.

Als ik het hekje naar de camping opendoe, hoor ik nog steeds niets. Aarzelend loop ik door. Zou de camping zijn besmet met een vreselijke ziekte?

Je hebt te veel fantasie, meid, zei papa altijd tegen me als ik een griezelverhaal ophing. Dat zal wel, maar ik voel me niet op mijn gemak.

Bij de tenten is niemand te zien. De bussen zijn ook weg. Wel staan er her en der stoeltjes, liggen er overal ballen en rackets en ander speelgoed verspreid. Alsof iedereen zo is weggerend.

Wat moet ik nu? Ik heb er nooit bij stilgestaan dat Bibi en haar familie weg kunnen zijn. Wachten heeft geen zin, stel je voor dat ze een hele dag weg zijn. Terug naar mama dan? Nee, nog niet. Ik wil geen ruzie met haar.

Ik pak een stoeltje en ga zitten. Ik heb dorst. Zal ik wat te drinken halen uit de tent? Ach, dat vinden Bibi's vader en moeder vast niet erg. In het keukengedeelte zie ik zelfs een koelkastje. Ik schenk een glas sinas in en ga weer naar buiten. In één teug drink ik het glas leeg. Tegelijk voel ik een zuchtje wind. Heerlijk!

Ik houd mijn gezicht omhoog om het te laten afkoelen. Als ik mijn ogen opendoe, zie ik de lucht. Ik schrik ervan! De wolken zijn angstaanjagend donkergrijs met een vieze groene kleur erdoorheen. De toppen van de bomen komen in beweging en een windvlaag neemt een striptijdschrift mee.

Snel raap ik alle losse spullen op, rits de tent open en zet alles binnen. Er komt vast vreselijk weer opzetten. Wat moet ik doen: hier blijven en schuilen in de tent of gauw naar huis rennen?

Schuilen lijkt me het beste. Dan hoor ik het rommelen in de verte.

Onweer!

Als het eens net zo hard gaat donderen als laatst? Terwijl ik hier alleen in de tent zit? Haastig doe ik de tent weer dicht en ren, ren!

Ik zie hoe de takken beginnen te zwiepen. Ik moet voort-maken, dit is niet leuk meer. Ik ren naar het hekje en hol door het bos. Daar giert de wind nog meer, kraken de bomen, en vliegen er af en toe takjes door de lucht. Ik houd mijn armen boven mijn hoofd als bescherming. Het gerommel komt dichterbij.

In gedachten hoor ik papa zeggen: nooit onder een boom schuilen bij onweer, Afke. Maar hier zijn alleen maar bomen! Als een haas ren ik door het bos en pas als ik aan de achterkant van het huis kom, bedenk ik dat ik Jelle en de jongens niet heb gezien. Zijn ze al thuis? Ik ren om het huis. De bus staat voor de deur geparkeerd. Wat is dat nou?

De wind buldert intussen. De plastic stoeltjes rollebol-len door de tuin. Er zeilt zelfs een stuk dak door de lucht. Straks valt het hele huis uit elkaar!

Dan zie ik mama met haar armen vol spullen.

'Zo, ben jij daar ook weer?' snauwt ze. 'Pak jij je eigen koffer maar in.'

'Wat gaan we doen dan?'

'Weg. Zo snel mogelijk. We gaan terug. Lekker naar pake en beppe. Daar schijnt de zon en is het huis tenmin-ste droog. Met een dak erop!'

Ze knikt in de richting van het dak, waar net weer een stuk afwaait. Ik voel me compleet overdonderd.

'Opschieten,' grauwt ze.

In de keuken zitten mijn broertjes te krijsen.

'Ach schatten,' zeg ik terwijl ik bij ze neerkniel, 'zijn jullie zo bang?'

In mijn kamer staat de koffer nog, voor een groot deel onuitgepakt. Ik stouw hem vol en breng hem naar mama.

'Waar zijn Jelle en Simon en Wytse?' vraag ik.

'Geen idee. Kan me ook niks schelen. Ik geloof dat ik nu bijna alles heb. Ga maar vast in de bus zitten.'

'Maar mam...'

'Hup, in de bus. Ik zet de kleintjes in hun stoeltjes en dan kunnen we gaan voordat de hele zooi hier ineenstort.'

Ik durf niet tegen te sputteren. Nog nooit heb ik mama zo gezien. Als ik in de bus klim, vallen de eerste dikke druppels. Mama ploft op de bestuurdersplaats neer. 'Hè, hè, net voor de bui binnen,' hijgt ze.

Ze start de bus.

'Maar...,' probeer ik weer.

'Hou je mond. Ik moet nu de auto overeind houden.' Ze schreeuwt, want de regen roffelt keihard op het dak. De wissers kunnen het water niet zo snel afvoeren.

We rijden het erf af, over de oprijlaan naar de weg. Ik heb niet eens afscheid van Bibi kunnen nemen! Hoe kan mama weggaan zonder Jelle en Simon en Wytse?

Ik doe mijn armen over elkaar en zwijg. Urenlang, zo lang als we rijden.

Dag Frankrijk, dit was het dan.

De reis terug

We zitten in een hotel. Mama, Arnout, Marcel en ik. Het is een stokoud en rommelig hotel. De bedden zijn antiek en doorgezakt en we liggen met z'n allen in een kamer. Het voordeel is dat de bedden droog zijn. Maar ik vind het hier NIET mooi. Mijn broertjes liggen ieder in een bedje. Mama is beneden in de bar om nog wat te drinken. Het is de bedoeling dat ik slaap. Dat kan ik niet. Zodra ik mijn ogen dichtdoe, zie ik alles weer voor me.

Lieve pap,
Mama, de tweeling en ik zijn nu onderweg naar pake en beppe. Het dak is voor het grootste deel van het huis gewaaid. Dat klinkt misschien grappig maar dat is het niet. Zonder zelfs maar een briefje voor Jelle achter te laten heeft mama de bus ingepakt en zijn we in het meest vreselijke noodweer weggereden.

Steeds zie ik voor me hoe de regen zo hard tegen de ramen kletterde dat de wissers het niet meer bij konden houden. Hoe de wind ervoor zorgde dat de bus trilde en schudde. Ik hoor het lawaai opnieuw, van de regen, de wind, de motor van de bus, mijn broertjes die huilden en mama die scheldend en vloekend achter het stuur zat. We reden uren achter elkaar door.

Mama heeft de telefoon uitgedaan. Als Jelle wil bellen, krijgt hij geen gehoor. Dat kreeg mama de afgelopen dagen ook niet, zei ze. Ze is zeker vergeten dat ze gisteren nog stonden te knuffelen. Waarom ze nu weer kwaad is, weet ik niet.

Ik wilde dat ik je mobiel bij me had. Dan had ik met Bibi gebeld of ge-sms't.

Wat als er iets gebeurd is met Jelle of de jongens? Als ze onder een boom stonden die geraakt is door de bliksem? Als het huis is ingestort terwijl ze lagen te slapen? Hoewel... nee, dat kan niet. Overdag slapen ze niet. En al leek het de hele dag lang nacht te zijn, dat was het niet.

Zouden ze zijn geschrokken omdat wij weg waren? Zouden ze kwaad zijn? Wat zouden ze nu dan doen? Daar blijven? Ook naar huis gaan?

Ik weet het niet. Ik weet niets.

Ik moet slapen, maar...

O, daar is mama. Morgen verder.

Ik stop mijn mp3-speler onder de dekens en sluit mijn ogen. Als mama het licht aanknipt, voer ik een klein toneelstukje op. Ik knipper met mijn ogen en rek me uit. Gapend mompel ik iets om dan halfzittend naar haar te kijken.

'Mam?'

'Ja meid.'

'Mag ik bellen?'

'Met wie?'

'Met Bibi.'

'Het is nu veel te laat. Ze slaapt allang.'

'Ik slaap toch ook niet? Bovendien neemt haar moeder op, want het is haar telefoon. Misschien is Bibi ongerust. Als ze naar ons huis zijn gegaan...'

'Ja, ja, het is wel goed.' Mama graait in haar tas en doet haar mobiel aan.

'Alsjeblieft.'

Ik druk de sneltoets in en krijg meteen Bibi's moeder aan de lijn. 'Met Afke,' zeg ik. 'Is Bibi daar ook?'

'Ze ligt al.' Maar ik hoor Bibi gillen: 'Ik slaap nog niet. Is dat Afke?'

'Hier komt ze,' zegt Mamilou.

'Hé Afke! Zijn jullie al verzopen? Eh... verdronken bedoel ik? Wat heeft het geregend, hè?'

'Het dak is van het huis gewaaid,' zeg ik, al is dat een beetje overdreven. 'En nu zitten we in een hotel. We gaan naar pake en beppe.'

'Hoe kan dat dan? Louis en Rolf hebben nog met Simon en Wytse gevist.'

'Die zijn niet mee. En Jelle ook niet.' Ik merk dat ik moet huilen. 'Ik vertel het je later nog wel, oké? Doeg!' Snel druk ik in zodat Bibi niet hoort hoe ik als een kleuter begin te snikken. Ik mik het mobieltje op mama's bed, draai me om en kruip diep onder de dekens. Bah, wat een rotvakantie!

Bij pake en beppe

We hebben de hele dag gereden. In Frankrijk miezerde het af en toe, in België hield de regen op en in Nederland brak de zon door. Eerst wat waterig, maar daarna steeds feller.

Nu zijn we bij pake en beppe in Gaasterland.

Onderweg heeft mama gebeld dat we eraan kwamen. Pake en beppe hebben snel ons huisje klaargemaakt. Mama slaapt in haar eigen bed, ik in het mijne en Arnout en Marcel slapen in campingbedjes bij mama op de kamer.

Ik ben blij dat we in Gaasterland zijn, maar niet zo blij als ik had verwacht. Toen we naar Frankrijk gingen, wilde ik het allerliefst naar pake en beppe en nu we hier zijn wil ik eigenlijk terug. Ook al regent het daar. Soms snap ik niks van mezelf.

We knuffelen uitgebreid met pake en beppe. Beppe neemt mama mee naar de keuken. Die wil natuurlijk alles van de vakantie weten.

Ik vraag pake of ik achter de computer mag. Stel je voor dat papa me heeft gemaild!

Al moet ik nergens op hopen, want dan valt het toch tegen.

Ik zit op de Geitenbank. Met mijn rug tegen de harde stenen leuning en lekker met mijn benen gestrekt. Er was geen mailtje van papa. Ik heb met onze buurvrouw thuis gebeld en er was ook geen kaart van hem. Alleen maar zakelijke post, zei ze. Voor mama en Jelle dus.

Toch ga ik een stukje voor papa inspreken. Zodat hij weet dat hij een dochter heeft.

Lieve papa.

Soms denk ik dat je me vergeet. Ik hoor nooit meer iets van je! Je hebt me niet eens gemaild. Waarom niet, pap? Heb ik iets verkeerd gedaan? Ben je boos op me omdat ik met je naar Amerika wilde? Dat was toch leuk geweest?

Soms denk ik aan hoe het was toen we nog met z'n drieën bij elkaar woonden. Toen maakten we ook radio. Als we bij andere opa en oma waren, pakte je soms het theezeefje. Dat gebruikte je als microfoon.

'We zijn hier in het huis van de familie Adema,' zei je. 'En daar is zo veel te beleven!'

Dan deed je alsof je een sportverslag maakte over twee kruipende slakken. 'Beste luisteraars, slak Zita zet de sokken erin. Ze kruipt minstens honderd meter per uur! Daar kan slak Jaap niet tegenop. Hij doet verschrikkelijk zijn best en kruipt en kruipt, maar Zita is niet te verslaan. Ze giert over de baan, het zweet gutst van haar af. Nog even, nog heel even en JAAAAA! Zita heeft het 'm gelapt, zij is de winnaar!'

Dan interviewde je de slakken en dat deed je met gekke stemmetjes. Je zong er jingles bij en we lachten!

Weet je nog, pap?

Soms interviewde je mij. Dan hield je het theezeefje voor mijn mond en praatten we over van alles. Je zei altijd dat dingen echter worden als je ze onder woorden brengt. Daarom maak ik nu radio voor jou.

Hier is intussen veel gebeurd. Ik lig op de Geitenbank onder de droomboom. Alle mensen liggen op het strandje aan het IJsselmeer. Ik heb geen zin om daarheen te gaan, ik heb de afgelopen dagen genoeg water gezien en gevoeld.

Eigenlijk heb ik nergens zin in. Was Bibi maar hier.

En Jelle en Simon en Wytse. Wie had dat ooit kunnen denken?

Als je iemand heel erg mist, betekent dat dan dat je van hem of haar houdt?

Waarom ben ik niet blij omdat ik nu alles heb wat ik aan het begin van de vakantie wenste?

Weet je, pap?

Ik ga naast mama liggen, buiten op een handdoek. Dat is veel gezelliger. Misschien heeft ze wat gehoord van Jelle en de jongens. Misschien wordt alles weer gewoon.

Dag pap.

Gauw bellen, hoor! Straks vergeet ik je stem nog.

Gesprekken

Ik lig naast mama in het gras. Het is loom weer. Dat zegt beppe. Dan heb je geen zin om wat te doen. En inderdaad, dat heb ik niet. Al wil ik wel wat van mama weten.

Dus zeg ik: 'Mam? Mag ik wat vragen?'

'Dat doe je al.'

'Hè, hè!'

Ze glimlacht. 'Natuurlijk. Als ik er maar bij kan blijven liggen.'

'Waarom ben je weggegaan uit Frankrijk? Waarom was je de hele tijd zo boos? We hadden het toch gezellig?'

Ik zie dat mama even slikt. Er loopt een traan over haar wang die ze snel wegveegt. Alsof hij er helemaal niet is geweest. Ze ligt er zielig bij, als een klein meisje dat haar pop kwijt is.

'Je hoeft het niet te vertellen als je niet wilt, hoor.'

'Ach. Ik vind het zo stom.' Ze zucht een paar maal diep. 'Ik had heimwee.'

'Hè? Heimwee? Kunnen grote mensen dat ook hebben?'

'Blijkbaar wel.'

'Maar waarom heb je dat niet gezegd?'

'Dat zei ik toch! Omdat ik dat stom vond.'

Ik zucht. 'Ik vind het stom dat je niks zei. We hadden allemaal het gevoel dat we iets verkeerd hadden gedaan.'

'Hoe weet jij wat de anderen vonden? Hebben jullie over me gepraat dan?'

'Dat niet, maar...'

'Je vindt het stom dat ik niets zei en zelf zei je ook niks.'

'Je kon het voelen! Dat weet je best. Iedereen was er naar van.'

We liggen naast elkaar. Heel stil. Ik heb mijn gedachten en mama de hare. Denk ik. Maar hoe kun je weten wat iemand anders denkt? Of voelt? Niemand had toch in de gaten dat mama heimwee had?

Dan moet ik lachen. Ik draai me een beetje om zodat ik tegen haar aan lig. 'Als je jarig bent, krijg je een knuffelbeer van me. En als we een volgende keer op vakantie gaan, neem je gewoon je beer mee.'

Mama draait zich naar me toe en lacht. 'Zie je wel? Stom!'

Als pake en beppe even later de tweeling brengen, grinniken we nog na.

'Jullie hebben het zeker naar je zin,' zegt pake.

'Dat hebben we, hè Afke?'

We knuffelen. Toch zit me nog wat dwars.

'Mam?'

Ze zucht. 'Nog meer?'

'Waarom kreeg je verkering met Jelle? Hij is zo anders dan papa.'

'Dat is zo. Toen ik verdrietig was omdat ik me alleen voelde, was Jelle er altijd voor me. Terwijl hij het zelf ook niet gemakkelijk had. Simon en Wytse hadden verdriet omdat hun moeder was overleden en hij natuurlijk ook. We konden elkaar helpen. En langzamerhand veranderde dat in…'

'Liefde?'

'Ja, dat veranderde in echte liefde. Ik wilde het liefst elke dag bij hem zijn.'

'En daarom zitten wij nu in Gaasterland en zij in Frankrijk?'

'Schurk! Nu heb je me!'

'Ga je straks bellen? Ook naar Amerika? En naar Frankrijk natuurlijk?'

'Ja schat.'

Ik knuffel haar nog een keer. Mijn allerliefste mam!

Het is avond. Ik ben in mijn kamer en het is de bedoeling dat ik in bed lig. Maar daar heb ik geen zin in. Ik zit voor het raam en hoor mama met pake en beppe praten. Ik kan alles verstaan.

Mama: 'Ik heb gebeld. Met Amerika en met Frankrijk. Tweemaal geen gehoor.'

Beppe: 'Heb je iets ingesproken?'

Mama: 'Bij Jelle niet. Het is voldoende dat hij ziet dat ik heb gebeld.'

Pake: 'Hoezo voldoende? Moet hij maar raden wat je wilt zeggen?'

Mama: 'Dat weet hij wel.'

Pake: 'Wist hij dat bij het begin van de vakantie ook? Toen jij zo boos was?'

Mama: 'Hm, heb je met Afke gepraat?'

Pake: 'Natuurlijk, dat kind zat ermee!'

Beppe: 'En Jan?'

Mama: 'Op Jans mobiel hoorde ik helemaal niets. Stilte.'

Beppe: 'Er zal toch niets met hem zijn?'

Mama: 'Dat weet ik niet, mama. Met Jan weet je het nooit. Waarom denk je dat ik bij hem ben weggegaan? Niet omdat hij een vervelende vent was, want dat is niet zo. Je kunt nooit op hem rekenen, hij doet wat in zijn hoofd opkomt en houdt geen rekening met wie dan ook. Nu haalt Afke zich in haar hoofd dat het haar schuld is dat hij niets van zich laat horen.'

Beppe: 'Ach, die stakker.'

Pake: 'Wat een kolder. Jan is nooit anders geweest. Waarom denk jij dat we er zo op tegen waren?'

Mama: 'Omdat ik jouw lieve schat ben. Al was er een prins op een wit paard gekomen, dan was hij nog niet goed genoeg geweest!'

Beppe: 'Kun je je ex-schoonmoeder niet bellen?'

Mama: 'Als ik dat doe, krijgt ze een hartaanval. Ze zit al

zo over Jan in. Ik wil het niet erger maken dan het is.'

Pake: 'Niets van aantrekken. Van Jan dan.'

Beppe: 'Zeg je dat morgen ook tegen Afke? Het is haar vader!'

Pake: 'Ach ja, Afke...'

Ik doe het raam dicht, ik wil niets meer horen, niets meer weten. Het doet pijn om aan papa te denken. Waarom maak ik eigenlijk radio voor hem? Hij doet nooit iets voor mij!

Jelle is meestal veel aardiger. Het is geen papa, maar hij is er wel. Behalve nu. Al ligt dat niet aan hem.

Morgen ga ik de zaak aanpakken. Jelle bellen en vragen of ze hier naartoe komen. Papa mailen dat hij... dat ik... Hoe zeg je dat?

Als je een vriendje hebt kun je het uitmaken, maar met een vader kan dat niet. Daar moet ik het morgen met mama over hebben.

Familie

We zitten aan de ontbijttafel rustig te eten. Het is stil zonder grote jongens. Gelukkig dat Arnout en Marcel er zijn.

'Wat ga je vandaag doen, Afke?' vraagt pake.

'Ik wil wel een eindje met u fietsen.'

'Kan dat morgen? Ik moet straks weg.'

'Waarheen? Mag ik mee?'

'Nee, dat kan niet. Een volgende keer.'

Dan probeer ik het bij beppe. 'Zullen wij naar het strand gaan, beppe?'

'Het spijt me Afke, ik heb het erg druk.'

Ik kijk naar mama, die ook al haar hoofd schudt.

'Maar ik wil met je praten!'

'Nu niet Afke, echt niet.'

Ik word woedend. Moesten we daarvoor weg uit Frankrijk, zodat ik me kapot verveel? Ik schreeuw: 'Wat zijn jullie gezellig! Nu zijn we eindelijk hier en nu hebben jullie geen tijd! Ik wou dat we in Frankrijk waren gebleven, daar was Bibi tenminste! En dat opnemen voor de radio, daar stop ik ook mee. Papa is er immers toch niet en hij laat niets van zich horen. Hij kan wel DOOD zijn!'

Pake en beppe beginnen me te sussen: 'Kindje, kindje toch. Het komt toevallig niet uit.'

Mama zegt: 'Natuurlijk is papa niet dood, hij heeft het alleen ontzettend druk met die concerten.'

'Het zal wel,' gil ik, 'maar ik vind het allemaal niks. Jij gaat je eigen gang zonder mij iets te vragen. Je laat iedereen barsten. Straks gaat Jelle ook weer weg!'

Het voelt lekker om zo te schreeuwen, nu weet iedereen tenminste dat ik er ook nog ben. De stoel die ik met veel herrie achteruitschuif, wankelt. Ik ren naar buiten, naar de boom. Die zegt niets terug, maar van een boom kun je niks beters verwachten.

Ik lig op de Geitenbank. Wat is dat ding hard! De vorige keren zal de bank wel net zo hard zijn geweest, maar toen voelde ik het niet. Toen verveelde ik me niet zoals nu.

Mama is niet thuis en pake ook niet. En beppe poetst alsof de koningin op visite komt.

Hester logeert bij haar tante in Amsterdam, zei haar moeder. Er is NIEMAND die tijd voor me heeft.

De boom zwijgt. Hij vertelt geen verhaaltjes zoals hij deed als papa erbij was. Al weet ik best dat het papa was die ik dan hoorde.

In die tijd geloofde ik alles wat hij zei. Was dat dan gelogen? Dat hij in Amerika aan me zou denken, dat hij me een kaart zou sturen, dat hij me zou bellen?

Ik ga rechtop zitten. Ik laat mijn benen bungelen en kijk recht voor me uit. In de verte glinstert het IJsselmeer. Voor me golven de velden. De bomen achter me zijn stil. Ik ben helemaal alleen in het bos en ik voel me ontzettend zielig. Wilde ik hier zo graag zijn toen we naar Frankrijk reden?

In de verte hoor ik het dichtslaan van een autodeur. En nog eens.

Zou pake thuisgekomen zijn? Zou hij boodschappen hebben gedaan? Zou hij iets groots voor me hebben gekocht, zodat ik niet mee kon? Misschien wilde hij me verrassen met een enorm cadeau, een pony of zo. Hoewel dat een kinderachtige gedachte is.

Ik ga weer liggen. Bah, dooie boel.

'Boe!'

Ik val bijna van de bank van schrik. 'Rotjoch! Wat doe je hier? Zijn jullie hier allebei? Was maar in Frankrijk gebleven!'

Simon en Wytse schateren het uit. 'Goed zo, Afke. Eindelijk zeg je eens wat terug!'

Ik ga rechtop zitten en kijk de jongens dom aan. 'Hoe zijn jullie hier gekomen?'

'Gewoon, met de trein,' zegt Simon. 'Je pake heeft ons van het station gehaald.'

'Oooooh, daarom mocht ik niet mee!'

'Dan dacht hij zeker dat wij een verrassing voor je zouden zijn.' Wytse lacht breed bij het idee.

'Dat denk ik ook,' zeg ik.

'En is dat zo?' wil Simon weten.

'Hmmm.'

'Is dat zo?' herhaalt hij.

'Ik dacht dat we jullie nooit meer zouden zien. Dat je vader woest op ons zou zijn. Zeker op mama!'

'Dat was hij eerst ook. Je had hem eens tekeer moeten zien gaan!' zegt Wytse.

'En later?' vraag ik.

'Toen zag hij dat in de slaapkamer van papa en mama, eh... mijn vader en jouw moeder dus, het halve dak weg was.' Wytse wordt even rood van zijn vergissing. 'Alles was zeiknat.'

'En toen heeft hij de huisbaas gebeld,' gaat Simon verder.

'Dat had je eens moeten horen! Papa die in het Frans stond te schelden! Of iets wat daarvoor door moest gaan. We hebben ons slap gelachen!'

'Maar het hielp wel,' zegt Wytse, 'want tien minuten later was die vent er.'

'We hebben alles ingepakt, de boel de boel gelaten en toen heeft die man ons naar het station gebracht.'

'En nu zijn we hier.'

'Balen jullie ook?' vraag ik.

'Mwah,' zegt Wytse, 'een beetje.'

'Het was wel stil zonder Arnout en Marcel,' zegt Simon.

'Ja,' zegt Wytse. Ze kijken allebei een andere kant uit. Dan zeggen ze tegelijk: 'En zonder jullie.'

Nu worden we alle drie rood. Ik gloei ervan. Toch kan ik het niet laten om te vragen: 'Ook zonder mij?'

'Meer zonder je moeder,' zegt Simon. 'Die schreeuwt altijd. Kan ze ook gewoon praten?'

'En dat zeg jij?'

'Hoezo?'

'Jij en Wytse praten toch nooit normaal.'

'Wat is dit dan?' vraagt Wytse.

'Bijzonder.'

'Muts.' Dat is Simon. Hij geeft me een por.

'Raak me niet aan!' roep ik. Ik spring van de bank en begin te rennen. 'Je kunt me toch niet krijgen, je kunt me toch niet krijgen!'

Natuurlijk heeft Wytse me meteen te pakken, maar dat maakt niet uit. Ik ben zo vreselijk blij!

Voor ik het besef zeg ik: 'Ik ben zo blij dat jullie er zijn. Zonder jullie was er niks aan. En ik hoor niets van mijn vader.'

'Jij hebt tenminste een vader én een moeder,' zegt Simon. We zitten weer op de bank, uit te hijgen.

'Wat heb je aan een vader die er nooit is?' vraag ik me af. 'Wat is erger om te missen: een dode moeder of een vader die niets van zich laat horen?'

'Het is allemaal waardeloos,' zegt Wytse. 'Maar dood is dood. Onze moeder zien we nooit meer terug.'

'Jullie mogen mijn moeder wel lenen, hoor. Wacht, hoor je dat?'

'Wat?' vraagt Wytse.

'Mama roept. We zullen zo wel moeten eten.' Ik sta op.

'Ja mam, we komen eraan!' schreeuwt Wytse.

'Gek,' zeg ik.

'Muts,' zegt Simon.

Simon en Wytse rennen weg. Ik zucht even heel diep en ga dan met een brede lach mijn broers achterna.

Na het eten ren ik naar boven, naar pakes computer. Nu ga ik papa mailen. Ik weet precies wat ik zal schrijven.

Mijn vingers vliegen over de toetsen tot ik in de mailbox ben. Ik heb mail! Van papa!

Ik bijt op mijn onderlip. Altijd doet hij anders dan ik verwacht.

Snel open ik het mailtje.

Lieve Afke,

Even een mailtje voor mijn schat. Geen tijd om je te bellen en als ik tijd heb, slaap jij.

We hebben groot succes met jouw liedje Afke, I love you. Ik zing voor zalen met vaders die hun dochters missen. Veel optredens voor radiozenders door heel Amerika. Super, hè?

Als ik terug ben, vertel ik alles.

XXXXXXXXXXXXXX papa

Ik lees het mailtje een paar keer over. Kwaad wrijf ik in mijn ogen die zomaar nat worden. Bah! Hoe vaker ik het lees, hoe woedender ik word. Lekker is dat: papa heeft het zo druk met het missen van mij dat hij geen tijd heeft om te bellen.

Hoe zal ik reageren? Zal ik reageren?

Mijn vingers wachten af wat mijn hoofd bedenkt.

Ik kan lief doen, alsof het me allemaal niks uitmaakt. Alsof het allemaal geweldig is. En dat is het ook. Voor hem.

Ik kan ook....

Dag pap,

Ik zit op beppes kamer naar je te mailen. Ik heb geen zin meer om radio voor je te maken. Je wist niet dat ik dat deed, maar ik stuur je mijn radioberichten wel op. Dat kan, zegt Jelle. Hij helpt me er dan wel mee.

Je bent nu al heel lang in Amerika en ik had tot vandaag nog niets van je gehoord. Natuurlijk heb je het druk maar dat maakt niet uit. Ik wil een paar dingen met je afspreken.

Ik ben je dochter en je moet gewoon af en toe wat van je laten horen. Want ik wil niet bang hoeven zijn dat je intussen dood bent.

Ik wil ook niet dat je langskomt als het jou uitkomt. Ik heb nu een ander leven dan toen jij er nog was. Ik heb vier broers: twee grote stief en twee kleine half. Eerst moest ik eraan wennen, maar nu ben ik er blij mee.

En al ben jij niet meer iedere dag om me heen, Jelle is dat wel. Hij helpt me met dingen die ik zelf niet kan. Zoals die radioberichten naar je mailen. Hij is goed voor mama en goed voor mij. Hij is niet mijn vader, maar hij is goed genoeg. Ik ben hem zo-even om zijn hals gevlogen omdat ik hem weer zag.

Zo staan de zaken er nu voor, pap.

Ik begrijp dat je het naar je zin hebt in Amerika en dat je beroemd wordt.

Dat is fijn voor je. Maar weet je, pap? Beppe zegt soms: een goede buur is beter dan een verre vriend. En ik denk dat een goede stiefvader beter is dan een verre vader.

Nu ga ik naar beneden, naar mijn familie. Simon en Wytse plagen me soms, en af en toe zeg ik iets terug. Dat gaat me steeds beter af. Ik heb het van Bibi geleerd.

Kusjes van Afke

Ik druk op Versturen. In gedachten zie ik het mailtje over de wereldbol naar Amerika vliegen. Zou papa ervan schrikken? Ach, wat maakt het uit, dat is dan zijn zaak.

Nu Bibi nog even sms'en en dan ga ik naar beneden.

Hoi Bibi! We zijn nu allemaal bij pake en beppe. Gezellig! Weet je wat? S en W hebben me gemist. Kun je je dat voorstellen? En nog wat: ik hen ook! Groeten aan allemaal en xxx, Afke

Lees ook

Hanneke de Jong & Dolf Verroen
Time-out

Roos-Anne ziet tot haar grote verbazing een kunstenaar op tv die dezelfde achternaam heeft als zij. Een naam die bijna nooit voorkomt. Haar moeder is niet getrouwd en wil nooit iets vertellen over haar vader. Zou dit haar opa zijn?

Roos-Anne besluit te mailen. De man die misschien haar opa is, reageert afwijzend. Maar Roos-Anne houdt vol. Langzamerhand ontstaat er een bijzondere vriendschap. Totdat haar moeder erachter komt en haar verbiedt om ooit nog contact met hem op te nemen...